Seltsame Dinge geschehen im Gefängnis Isenbüttel. Während einer Theateraufführung verlassen Häftlinge ungehindert das Gelände. Und kurz darauf feiert ein idyllisches Städtchen talentierte Schauspieler – die gar keine sind. Niemand scheint Verdacht zu schöpfen. Der ganze Ort wird zur Bühne, doch auch das schönste Stück ist einmal zu Ende. Mit heiterer Leichtigkeit und würdevoller Eleganz erzählt Siegfried Lenz von der Freundschaft und davon, was die Fantasie vermag.

Siegfried Lenz, geboren 1926 in Lyck/Ostpreußen, zählt seit langem zu den bedeutendsten Autoren der deutschen Nachkriegs- und Gegenwartsliteratur. Nach seiner Rückkehr aus englischer Kriegsgefangenschaft studierte er in Hamburg Philosophie, Anglistik und deutsche Literaturgeschichte. Für seine Bücher wurde er mit vielen bedeutenden Preisen ausgezeichnet, unter anderem mit dem Goethe-Preis der Stadt Frankfurt am Main und dem Friedenspreis des Deutschen Buchhandels. 2009 erhielt er den Lew-Kopelew-Preis für Frieden und Menschenrechte. Heute lebt Siegfried Lenz als freier Schriftsteller in Hamburg. Sein erzählerisches Werk ist im Deutschen Taschenbuch Verlag lieferbar.

Siegfried Lenz

Landesbühne

Deutscher Taschenbuch Verlag

Ausführliche Informationen über
unsere Autoren und Bücher
finden sie auf unserer Website
www.dtv.de

2011 Deutscher Taschenbuch Verlag GmbH & Co. KG,
München

Umschlagkonzept: Balk & Brumshagen
Umschlagfoto: Hans-Joachim Billib
Satz: Dörlemann Satz, Lemförde
Druck und Bindung: Druckerei C. H. Beck, Nördlingen
Gedruckt auf säurefreiem, chlorfrei gebleichtem Papier
Printed in Germany · ISBN 978-3-423-13985-4

Landesbühne

Hoher Besuch

»Schau dir das an, Professor«, sagte mein Zellengenosse, »komm her und schau dir das an.« Er stand am vergitterten Fenster, ein kahlköpfiger Mann, der Ohrringe trug, und zeigte hinab auf den Gefängnishof, wo das Tor geöffnet wurde und ein blauer Bus erschien. Über die Länge des Busses hin stand in Blockbuchstaben LANDESBÜHNE, zwei stilisierte Masken versprachen geheimnisvolles, jedenfalls unterhaltsames Spiel. »Ich hab's gewußt«, sagte mein Zellengenosse, »die Landesbühne kommt wirklich.« Dieser Mann, dem sie das zweite Bett in meiner Zelle zugewiesen hatten und der mit den Worten hereingekommen war: »Ich bin Hannes«, schien alles zu wissen. Als der Bus hielt und zuerst ein schottisch gekleideter Mann ausstieg, sagte er: »Der Intendant der Landesbühne, er heißt Prugel.« Der Intendant ging mit beinahe beschwingtem Schritt auf die hagere Gestalt zu, die den Bus erwartet hatte, breitete andeutend die Arme aus, beließ es jedoch während der Begrüßung bei einem Händeschütteln, das länger als üblich dauerte, Karl Tauber, unser Direktor, wie immer in dunklem Anzug, schien nicht überrascht, daß sein Gast zunächst nur dastand und sich umsah, nachdenklich die vier ungleichen Gebäude musterte, aus denen das Gefängnis Isenbüttel bestand. Mit knappen Gesten erläuterte er offenbar Zweck und Eigenschaft der Gebäude, der Intendant nickte wiederholt, es blieb ihm wohl nichts zu fragen. Einmal fanden sie Grund zu kurzem Gelächter. »Die alten Säcke kennen sich bestimmt«, sagte Hannes. Auf seinem Gesicht lag ein Ausdruck von hinterhältigem Vergnügen; er imitierte die Sprechweise des Direktors, dies rollende R, das ihm bei etlichen Begegnungen aufgefallen war.

Auf ein Zeichen des Intendanten verließen die Schauspieler den Bus, auch einige Frauen waren unter ihnen, die meisten blieben wie angeleimt stehen, nicht anders, als hätte man sie in ein neues Leben gestoßen. Wie der Intendant, so schauten auch sie zunächst nur, schauten, manche stießen sich an, grinsten anzüglich, machten sich blickweis aufmerksam auf das, was sie sahen. Einer der Schauspieler bückte sich, hob einen Kieselstein auf, rieb ihn zwischen den Fingern und steckte ihn in die

Tasche – als Andenken vermutlich. Ein junger bärtiger Schauspieler ließ die allgemeine Stimmung erkennen, als er eine ältere Kollegin um die Taille faßte und ihr scherzhaft eine Hand mit gespreizten Fingern vors Gesicht hielt; danach deutete er zu unserem Fenster hinauf und glaubte winken zu müssen. »Sieh dir diesen Schwachkopf an, Professor«, sagte Hannes.

Der Intendant rief die Schauspieler zusammen und gab das Wort dem Direktor, der nur kurz sprach, anscheinend nur einen Willkommensgruß äußerte, gleich darauf wandte er sich einem Trupp von Insassen zu, die von der Arbeit im Gefängnisgarten zurückkehrten. Einige trugen Geräte, Spaten und Harken, auch Gießkannen. Ich täusche mich nicht: beim Anblick der Schauspieler hellten sich ihre Züge auf, Grüße wurden gewechselt, knappe, verstohlene, mehrdeutige Grüße. Ein offenbar fröhlicher Riese tat so, als liebkoste er beidhändig seine Gießkanne. »Das ist Mumpert«, sagte Hannes, »er war mal Schiedsrichter, er ließ zu oft die gewinnen, die am großzügigsten zu ihm waren.« Mir fiel ein gutaussehender Insasse auf, der Ähnlichkeit mit Valentino hatte, vor dem Direktor präsentierte er übermütig seinen Spaten oder deutete doch einen Präsentiergriff an. »Bolzahn«, sagte Hannes, »mein

Freund Bolzahn, es gelang ihm, mit mehreren Frauen gleichzeitig verheiratet zu sein.«

Ein kleiner Transporter hielt vor dem Tor, hupend verlangte er Einlaß, und nachdem das Tor sich geöffnet hatte, rollte er auf den Gefängnishof und hielt neben dem Bus, wurde aber vom Direktor gleich weitergewinkt, zu dem großen, grauweißen Gebäude, in dem unser Speisesaal lag. Zwei Männer, beide im Overall, stiegen aus, der Direktor begrüßte sie mit Handschlag und führte sie ins Gebäude, kehrte noch einmal zurück und forderte den Intendanten auf, ihm zu folgen. »Da drin wird es stattfinden«, sagte Hannes, »im Speisesaal, Bänke und Stühle sind schon bereitgestellt.« Welch ein Stück gegeben werden sollte, wußte Hannes zu meinem Erstaunen nicht, auch als die Männer im Overall wieder erschienen und damit begannen, die gestapelte Last des Transporters abzuladen, zuckte er mit den Achseln. Mir war es rätselhaft, wozu die Kartons und Kisten und Holzgestelle dienen sollten, die sie ins Gebäude trugen, leere Kisten anscheinend, leere Kartons. Die Männer verrichteten ihre Arbeit gutgelaunt, sie mimten Erschöpfung, schwankten, spielten Kraftlosigkeit, überraschend warfen sie sich einen Karton zu und führten Stolperschritte vor. Bei den letzten Stücken halfen ihnen auch einige Schauspieler. Für sich selbst bestimmt, murmelte Hannes: »Macht nur, macht nur, bald wird etwas geschehen.«

Wir setzten uns an den rohen, mit Kerben bedeckten Tisch. Aus seinem heimlichen Tabakvorrat drehte sich Hannes Zigaretten; das schmale Päckchen trug er am Schienbein, beklemmt von einem strammsitzenden feldgrauen Socken. Wie lange, wie grüblerisch er mich ansehen konnte, bevor er sprach; auf einmal schüttelte er den Kopf, geradeso, als hätte er Schwierigkeiten, zu glauben, was er über mich erfahren hatte. Vielleicht merkte er, daß sein langer befragender Blick mich verlegen machte; denn plötzlich sagte er: »Die Hälfte, nicht wahr, du hast jetzt die Hälfte rum, Professor.« Ich bestätigte es: »Zwei Jahre sind rum.« »Sie sind ungerecht«, sagte er, »zu dir und zu den meisten hier sind sie ungerecht in der Strafzumessung. Glaube mir, ein verständnisvoller Richter hätte fast alle freigesprochen, nach Hause geschickt: unschuldig. Auch dich, Professor.« Da ich schwieg, tischte er mir meine Geschichte auf, erinnerte mich an meinen Haftgrund, kenntnisreich, mitfühlend. Ihm war bekannt, daß ich einmal eine Professur hatte – er wußte nur nicht, in welchem Fach –, und er hatte auch erfahren, daß ich etliche meiner Studentinnen durchs Examen gebracht hatte mit höchstem Lob. Leider war nicht unentdeckt geblieben, daß diese hervorragenden Examenskandidatinnen vorher bei mir genächtigt hatten – eine neidische Kommilitonin hatte das öffentlich gemacht. Um mich zu trösten, sagte Hannes: »Sie strafen sich selbst, die Neider, glaub mir, Professor.« Ich schlug ihm vor, mich lieber Clemens zu nennen, mit dem Namen kämen wir uns näher, und Nähe sei uns doch aufgegeben; er sah mich nur ungläubig an und wollte mir meinen Verzicht auf den Titel nicht abkaufen.

Ich mochte Hannes gern, von Anfang an, mit ihm die Zelle zu teilen, empfand ich als Glücksfall; wenn ich mir einen Gefährten hätte wünschen können, dann einen wie ihn. Einen Menschen von ähnlicher unbezwingbarer Müdigkeit habe ich nie erlebt, er verlangte zu jeder Zeit nach Schlaf, schon nach dem Frühstück legte er sich hin, er schlief vor und nach der Gartenarbeit, nach dem Rundgang, während ich mein Tagebuch bediente; immer hörte ich seinen von Seufzern begleiteten Atem. Ich hatte den Eindruck, daß Hannes nach Jahren der Schlaflosigkeit viel Schlaf nachholen mußte. Oft betrachtete ich das Gesicht des Schlafenden, ein treuherziges Gesicht, das Unschuld vermuten ließ, doch während meine Sympathie für ihn noch wuchs, mußte ich daran denken, daß er ein Künstler war, ein Künstler der Bußgelderhebung. Mit erbeuteter Polizeikelle und einem Anorak postierte er sich bei Regen an den Ausfallstraßen von Hamburg und winkte die Fahrzeuge aus dem Verkehr heraus, die, wie er schätzte, die Geschwindigkeit übertreten hatten oder sich, wie er meinte, verkehrswidrig verhielten. Mit einem Bußgeld, das in bar beglichen werden mußte, ließ Hannes sie davonkommen, er wunderte sich immer wieder darüber, wie rasch unsere Autofahrer bereit waren, zu zahlen. Auf leeren Seiten aus seinem Notizbuch stellte er nach Bedarf Quittungen aus. Seine Verdienstquelle versiegte, als er eine Zivilstreife der Polizei an den Straßenrand winkte.

Je länger wir uns an dem kleinen Tisch gegenübersaßen, desto unruhiger schien Hannes zu werden, ab und zu sprang er auf und trat ans Fenster, nickte oder schüttelte den Kopf, und nachdem er sich wieder gesetzt hatte, fuhr er mit dem Finger über die eingekerbten Zahlen und Buchstaben im Tisch, nicht anders, als streichelte er sie, und sann ihnen nach. Einmal legte er eine Hand auf mein Tagebuch und fragte: »Schreibst du ein Buch, Professor?« »Es ist mein Tagebuch«, sagte ich. »Du hast aber doch bestimmt schon ein Buch geschrieben?«

»O ja, mehrere; das wichtigste heißt *Sturm und Drang*.« Er wiederholte den Titel, lächelte und fragte: »Kamen die da drin vor, deine Studentinnen?« »Es geht um junge ungeduldige Dichter, über ihren Versuch, die Menschen zu befreien.« »Zu befreien?« »Von Unterdrückung und Knechtschaft und Konventionen.« »Hört sich gut an, und was boten sie an?« »Natur. Natur war das Schlagwort der Zeit.« »Also Wald und Wiese?« »Nein, nein, sie meinten Gefühl und Leidenschaft, und auch Phantasie.« »Und darüber hast du ein Buch geschrieben?« »Es hat mich Jahre gekostet.« »Und konntest du davon leben?« »Ich habe auch Vorlesungen gehalten, dreimal in der Woche.« »Über Sturm und Drang?« »Auch darüber, ja.« »Da hätte ich gerne zugehört.«

Mir entging nicht, daß er einmal, als er am Fenster stand, eine Hand hob und abermals mit versteiftem Ring- und Mittelfinger auf den Hof hinabgrüßte, aber es war kein beiläufiger Gruß, wie ich bald bemerkte, es war ein Zeichen, ein Signal, das er mehrmals wiederholte und auf dessen Bestätigung er wartete, und nachdem er diese Bestätigung offenbar erhalten hatte, wandte er sich mir zu und sagte: »Es läuft, Professor, es läuft, bald wird hier etwas geschehen.« Er legte sich auf sein Bett, verschränkte die Arme im Nacken und starrte zur Decke; da er es mit einer Andeutung genug sein ließ, fragte ich nicht weiter. Auch jetzt gelang es ihm, einzuschlafen.

Ich setzte mich an mein Tagebuch, blätterte zurück, las noch einmal meine Eintragung über das sehr kurze Gespräch mit Herrn Tauber, unserem Direktor. Er hatte mich tatsächlich bei einer Begegnung nach dem Rundgang im Hof wie aus heiterem Himmel gefragt, was ich von *Effi Briest* halte, und ich antwortete: »Ein gutes Buch, ein sehr guter Schriftsteller.« Er nickte erfreut, und ich wußte: Herr Tauber ist ein Leser. Nach einem Blick auf den schlafenden Gefährten machte ich einige Notizen über ihn, ich nannte ihn N – das genügte mir zur Verschlüsselung –, ich erwähnte seine erstaunliche Müdigkeit und sein Wissen über andere und alles hier, ein Wissen, das mich manchmal beunruhigte. Eine gesonderte Seite widmete ich einer mir bevorstehenden Aufgabe: Mir war hier aufgegangen, daß ich es versäumt hatte, zu dokumentieren, wovon sie einst gelebt hatten, die Stürmer und Dränger, die Klinger und Hamann, Maler Müller und der arme Hund Lenz; ich beschloß, für eine Neuauflage meines Buches, das mittlerweile als Standardwerk betrachtet wurde, ein Zusatzkapitel zu schreiben: Wovon sie lebten.

Wie unwillig Hannes brummte, wenn er erwachte, er warf den Kopf von einer Seite auf die andere, reckte die Arme, machte Wippbewegungen mit dem Körper und rollte sich vom Bett. Er beachtete mich nicht, prüfend blickte er sich um, so als wollte er herausfinden, was zunächst zu tun sei.

Einmal war er zum Waschbecken gegangen. Auf dem Bord über dem Waschbecken standen und lagen unsere persönlichen Sachen, Rasierzeug, Zahnbürste, Rasierwasser, auch zwei Seifenschalen. Er hielt es für nötig, den begrenzten Platz erkennbar zu teilen: eine Seite für ihn, eine Seite für mich. Unwirsch nahm er die Einteilung vor, ich mußte annehmen, daß er meine Sachen geringschätzig behandelte. Nachdem er alles sortiert und in seine gewünschte Ordnung gebracht hatte, fing er mit seinem Training an, mit seinen Beweglichkeitsübungen: Rumpfbeugen, Kniebeugen, Armrollen aus den Schultergelenken und eine Art Laufen auf der Stelle, wobei er die Knie so weit hochriß, daß sie seine Brust berührten. Er zwinkerte mir zu und sagte: »Du solltest mitmachen, Professor, es stärkt die Glieder.«

Das Labyrinth

Mehrere Trillerpfeifen schreckten uns auf, das schrillte, das hämmerte, das trieb und befahl. Hannes unterbrach sofort seine Übungen und zog mich an die Zellentür, die geöffnet wurde. Wir traten hinaus auf die eiserne, rundumlaufende Plattform, gleichzeitig mit den Insassen der anderen Zellen, man nickte, lächelte sich zu und folgte den Anweisungen der Wärter. Still standen wir da, es war nicht erlaubt zu sprechen. Auf einigen Gesichtern erkannte ich einen Ausdruck der Erwartung. Dieser Ausdruck änderte sich, als der Ruf einer Glocke ertönte, er kam von weit her, vom Gefängnishof, wie ich vermutete; all die Wartenden bewegten sich, trotteten gemächlich zur großen Treppe und in den hohen Vorraum hinab und zum Ausgang. Ich ging neben Hannes. Es wunderte mich nicht, wie oft er gegrüßt wurde; jetzt lag auf vielen Gesichtern ein Ausdruck von Vorfreude. Als wir am Bus der Landesbühne vorbeikamen, machte mich mein

Gefährte auf Plakate aufmerksam, die an die Innenseiten der Fenster geklebt waren; es waren großgedruckte Programmhinweise der Landesbühne, kleingedruckt waren auch die Namen von Schauspielern zu lesen. »Schau dir das an, Professor, mit diesen Stücken ziehen sie durchs Land.« Die Landesbühne warb mit dem *Zerbrochnen Krug*, mit *Endstation Sehnsucht* und mit einem Stück, dessen Titel ich noch nie gehört hatte: *Das Labyrinth.* »Etwas davon werden wir wohl zu sehen bekommen«, sagte Hannes, und ich darauf: »Hoffentlich *Endstation Sehnsucht*, ein wunderbares Stück, aus Amerika.«

Im Speisesaal war alles vorbereitet: die langen Tische standen an den Wänden, die Bänke, in Reihen aufgestellt, waren der Bühne zugekehrt, oder eher einer Art Hilfsbühne, zu der man die erhöhte Stirnseite des Speisesaals gemacht hatte. Hier sah ich sie wieder, die Kartons und Kisten und die aus Holzplatten gefertigten Gestelle. Planvoll zu brusthohen Wänden gestapelt, deuteten sie einen kurzen geschwungenen Weg an; wohin er führte, war nicht erkennbar, allenfalls konnte man annehmen, daß einer, der den Weg ging, nach einigen Windungen wieder zum Anfang zurückgeführt wurde.

Wie die Gefangenen rätselten und sich belustigt zeigten beim Anblick dieses sonderbaren Bühnenbildes; während sie sich durch die Bankreihen drängten, kamen sie nicht davon los. Ich hörte das Wort »Mausefalle«, hörte auch »Laufgatter« und »Irrgarten«, die angewandte Phantasie der Gefangenen sprach für sich. Hannes wollte, daß wir nebeneinandersaßen, er hörte nicht auf, für das Bühnenbild Namen zu erfinden oder sich vorzustellen, wozu es dienen könnte, mitunter wollte er von mir in seinen Mutmaßungen bestätigt werden. Nun, da alle einen Platz gefunden hatten, gab es nur noch Zuschauer, sie flüsterten untereinander, sie lachten, einen sah ich, der Grimassen schnitt, aber mir entging auch nicht, daß in dieser heiteren Stimmung von Bank zu Bank Zeichen gegeben wurden, man ermahnte, erinnerte sich gegenseitig, man forderte sich zu Geduld und Bereitschaft auf. Was da geschah, mußte ich für eine konspirative Verständigung halten.

Als Direktor Tauber auf die Bühne stieg, verstummten die Gespräche, einer wagte es, zu klatschen, doch sein Beifall wurde nicht aufgenommen. »Mumpert«, flüsterte Hannes, »der geklatscht hat, war Mumpert, der ehemalige Schiedsrichter.« Dem Direktor gelang es, Stolz zu zeigen, er schmunzelte und entblößte seine erstaunlichen Harkenzähne, auch eine Selbstzufriedenheit war ihm anzumerken. Seine Anrede war wohlüberlegt, er sagte nicht: »Liebe Insassen«, sondern »Liebe Ansässige von Isenbüttel«, danach verbeugte er sich knapp vor dem Intendanten und hieß ihn und die Landesbühne willkommen. Er hielt es für nötig, zu erwähnen, daß die vorgesetzte Behörde seinem Plan zugestimmt hatte, eine Theatertruppe einzuladen und im festen Haus ein Stück aufzuführen, das allen eine Ahnung vermittelte von den Problemen draußen in der Welt, von den Verhängnissen und Irrtümern und den Konflikten, die es zu meistern gilt. Und dann sprach er den Satz, der mir sehr bekannt vorkam; als er sagte: »Auf der Bühne steht auch deine Sache auf dem Spiel, wird durch Anschauung deutlich gemacht und verhandelt«, mußte ich daran denken, daß ich selbst diesen Satz geschrieben hatte, in meinem Standardwerk über den Sturm und Drang. Herr Tauber hatte mich zitiert, allerdings hatte er darauf verzichtet, die Quelle des Zitats zu nennen.

Oft habe ich mir überlegt, was wohl geschehen wäre, wenn er auf den Urheber gezeigt, ihm zugenickt, ihm gedankt hätte, welch eine Aufmerksamkeit wäre mir wohl unter meinen Gefährten zuteil geworden, wenn das geschehen wäre? Wären sie aufgestanden, um mich zu beklatschen, oder hätten sie mich mit plötzlichem Argwohn gemustert?

Herr Tauber tat, als hätte er diesen Satz aus der Luft gepflückt, und versicherte dem Intendanten, daß die hier versammelten Zuschauer von einem Gefühl der Dankbarkeit erfüllt seien. Die Zuschauer bestätigten das sogleich, sie klatschten, sie pfiffen, einige trampelten. Die lautstarke Zustimmung fand ein Ende, als der Direktor und der Intendant einen Händedruck wechselten, der einem Schwur gleichkam. Dann sprach der Intendant. Er ließ sich die Anrede einfallen: »Liebe Theaterbesucher«, und betonte, welche Freude es für ihn und seine Truppe sei, an einem Ort zu spielen, an dem aus bekannten Gründen der Ernst herrsche und die Gleichförmigkeit der verstreichenden Tage. Kenntnis zu nehmen von anderem Leben, und das auf unterhaltsame Weise: dazu lade das Theater ein. Es bringe die Welt ins Haus, in gewisser Weise bereite es auch auf die Welt vor. Das Stück, das man für diesen Tag gewählt habe, habe den Titel *Das Labyrinth.* »Erdacht und geschrieben wurde es von dem Hamburger Dichter Henry Watermann, der seit seiner sechsten Orientreise verschollen ist.« Mehr sagte der Intendant der Landesbühne nicht, er wünschte lediglich allen Besuchern unterhaltsame Stunden. Nach seinem Abgang erloschen die Lichter im Speisesaal, nur ein armes Licht erhellte die Bühne.

Unterbrochene Vorstellung

Während im Vordergrund der Bühne planvoll Möbel gestellt, gruppiert wurden, erschien ein festlich aufgeputzter Mann, der nach einer übertriebenen Verbeugung das Szenenbild zu erklären begann – selbstgefällig und so, als erfinde er alles im Augenblick. Er deutete auf die gestapelten Kartons und Kisten: »Hier, liebe Theaterfreunde, sehen Sie ein Labyrinth, ein Modell für kunstvolle Verirrung, es steht im Garten eines Hamburger Kaufmanns, der es von seinem persischen Geschäftspartner Omar Ibn Chayem bekommen hat. In diesem unscheinbaren Bauwerk«, sagte er, »kann man auf rätselhafte Weise abhanden kommen.«

Den Auftritt zweier älterer Schauspieler kommentierte er mit dem Satz: »Und hier haben wir Elfi und Trudi, zwei pensionierte Lehrerinnen, die mit ihrem Onkel das große Haus am Elbhang bewohnen. Beide verwöhnen sich mit Teegebäck.« Nach abermaliger Verbeugung verabschiedete er sich rückwärts gehend. »Schau mal, Professor«, flüsterte Hannes, »die alten Schachteln sind wie Zwillinge gekleidet, beide in Rosa.« Auf das plötzliche Erscheinen eines Polizisten reagierten die Schwestern leicht beunruhigt, sie boten aber dem freundlichen Beamten eine Tasse Tee an. Der Polizist dankte, er zeigte ein zunächst beiläufiges, dann dringendes Interesse für die Umgebung; als eine der Lehrerinnen fragte: »Suchen Sie etwas Bestimmtes?«, sagte er: »Auf unserem Revier ist eine Vermißtenmeldung eingegangen, ein Gärtner, Vater von vier Kindern, es wird behauptet, daß er zuletzt hier gesehen wurde.« Die Schwestern zeigten sich betroffen, spielten Ratlosigkeit, beide suchten die Nähe des Polizisten, der Sträucher und Hecken in Augenschein nahm und zuletzt ratlos vor dem unscheinbaren, in seiner Bauweise anspruchslosen Labyrinth stehenblieb. »Gänge«, sagte er, »da sind wohl krumme Gänge, können Sie mir das erklären?« »Ein Geschenk«, sagte die ältere Lehrerin, »es ist ein Spiel-Labyrinth, das unser Vater von seinem persischen Geschäftsfreund Omar Ibn Chayem zum Geburtstag bekommen hat. Man kann sich darin unterhaltsam verirren. Wie wir erfuhren, spielte dies Labyrinth eine wichtige Rolle bei großen Festen. Teilnehmer wurden aufgefordert, das Labyrinth zu erkunden, dessen Wände mit Muscheln und Spiegeln besetzt waren.« Der Polizist lächelte geringschätzig, er sagte: »Na, zum Schluß fanden wohl alle heraus.« »Anscheinend nicht alle, erzählte damals Herr Omar, dieser oder jener verschwand spurlos.«

Was da auf der Bühne gesprochen wurde, kam mir keineswegs sonderbar vor; im Unterschied zu Hannes, der vor Belustigung gluckste, glaubte ich der Erzählung – ich entsann mich märchenhafter Elemente des Orients –, die das Phantastische feierte, ja einer Geschichte, in der das Phantastische im Wirklichen aufging.

Zögernd verharrte der Polizist eine Weile vor dem Labyrinth, die Lehrerinnen schauten sich bedenklich an, und sie nahmen sich an die Hand, als der Polizist entschlossen erklärte: »Na, dann wollen wir der Sache mal auf den Grund gehen.« In dem Augenblick, als er das Labyrinth betrat, klatschte einer der Zuschauer, und eine Stimme rief: »Auf Wiedersehen!« Das Licht erlosch, eine ganze Weile blieb es dunkel, schon glaubte ich, daß die eigenartige Vorstellung zu Ende sei, als ein Lied ertönte, offenbar von einem Grammophon, das auf der Bühne stand; ein Tenor sang *Auf Wiedersehn, bleib nicht zu lange fort*. Ein paar der Zuschauer summten das Lied mit. Nach dem Lied flammte das Licht wieder auf, und die beiden Lehrerinnen präsentierten sich schwarz gekleidet. In der bedeutungsvollen Stille war plötzlich ein Ruf zu hören, ein leidender ferner Hilferuf, ich erkannte sogleich, daß es der Polizist war, der da rief.

Das Gespräch der Schwestern sagte alles. Wie ich vermutete, hatten sie erwartet, daß der Polizist in die Irre geraten und nicht mehr herausfinden würde. »Siehst du«, sagte die eine, die Trudi hieß, »das Labyrinth funktioniert immer noch«, und die andere, Elfi: »Es ist uns etwas in die Hand gegeben, liebe Schwester, etwas Seltsames, das sich nach Bedarf oder nach Wunsch anwenden läßt. Wir können verschwinden lassen, was uns Kummer macht, uns oder anderen, mit Hilfe unseres Labyrinths können wir für geordnete Verhältnisse sorgen unter Menschen. Wer es nicht verdient, unter Rechtschaffenen zu sein, wird dort hineingeschickt.« Diese Trudi sagte darauf: »Vielleicht können wir Angebote machen; wem daran liegt, sich von einem Mitmenschen lautlos zu trennen oder ihn ebenso lautlos verschwinden zu lassen, der kann sich an unsere Adresse wenden. Wir lassen uns seine Not erklären, wir bewerten jede Not nach einem Punktsystem, und wer durchfällt, den führen wir zum Labyrinth.«

Hannes konnte sich nicht still verhalten, er kicherte, er schüttelte den Kopf und beknetete seine Hände, und einmal sagte er: »Hör dir die alten Schachteln an, Professor, die haben doch beide eine Macke.« »Du mußt es nicht ernst nehmen«, sagte ich, »das Ganze ist doch ein Spiel, Theater. Ich schätze, daß es spannend wird, wenn die ersten Interessenten auftauchen, wenn Urteile gefällt werden. Wart nur, was sich nach der Pause tut.«

Ein Abschied

Auf schwach beleuchteter Bühne erschien abermals dieser festlich aufgeputzte Mann. Er gab sich vergnügt. Er schaute ausdauernd in die Zuschauerreihen, geradeso, als wollte er sein Vergnügen echohaft zurückbekommen. Dann kündigte er eine Pause von fünfzehn Minuten an, und mit ausnahmsweiser Zustimmung der Direktion eine Rauchpause, allerdings nur auf dem Hof. Beifall dankte ihm für diese Mitteilung. Scharrend murmelnd, eilfertig erhoben sich die Zuschauer und drängten zum Ausgang, hier und da bot man sich von heimlichem Tabakvorrat an.

Ich wollte sitzen bleiben, doch Hannes stieß mich an und legte mir eine Hand auf die Schulter und forderte mich energisch auf, mit nach draußen zu kommen. »Los, Professor, jetzt wird's ernst.« Auf dem Hof erlaubte er mir nicht, stehenzubleiben, er bugsierte mich an hastig Rauchenden vorbei zum Bus der Landesbühne, die mittlere Eingangstür stand offen, bewacht von dem ehemaligen Schiedsrichter Mumpert, der mit Hannes nur ein Wort wechselte, ein Kennwort, wie ich vermutete, darauf wurde ich in den Bus geschoben. Ich machte keinen Versuch, mich zu wehren, auf meine Frage, was das bedeute, bekam ich keine Antwort. Ein Dutzend der Gefährten saß bereits im Bus, schweigend, einige zusammengekrümmt; Hannes ließ mich nicht allein, unwirsch zwängte er sich an unseren Gefährten vorbei und ließ sich auf den Platz am Gang fallen. Als letzter stieg Mumpert ein, schloß die Tür und setzte sich ans Steuer, rasch, kennerisch, wie mein Busfahrer zu Hause. Bevor er den Motor anließ, stand Hannes auf und forderte im Befehlston Ruhe, unbedingte Ruhe, und dann wies er alle an, sich zu ducken, tief zu ducken; unzufrieden mit meiner Haltung, rief er: »Auch du, Professor, tauch ab, los!« Ohne hinauszuschauen, verhielt ich mich regungslos, der Bus vibrierte, er fuhr an, in meiner Vorstellung sah ich ihn auf das Holztor zurollen und wußte: gleich wird es sich entscheiden, wird sich zeigen, ob der Mann in der Wachstube das Tor öffnen werde. Nach zweimaligem Hupen öffnete er es und rief seinem Kollegen, der am offenen Fenster stand, zu: »Die Spaßmacher von der Landesbühne.«

Schnell fuhr der Bus die abfallende Straße hinab, wir setzten uns auf, einzelne klatschten Beifall, stießen Schreie aus, Siegesschreie, Freudenschreie. Über dem fernen See stand ein tadelloses Abendrot. Hannes kam zu mir und reichte mir die Hand, als wollte er mir gratulieren. »Siehst du, Professor, wir fahren in ein Abendrot.« Obwohl wir nicht verfolgt wurden, fuhr Mumpert mit großer Geschwindigkeit, der Bus schwankte, legte sich in den Kurven zur Seite, wir im Innern wurden hin und her geschüttelt und mußten uns an den Sitzen festhalten. In der Ulmenchaussee, die nach Grünau führte, überholten uns zwei Pkw, die Insassen winkten uns zu, lachten, machten vorausweisende Gesten, nicht anders, als eilten sie freudvoll dem gemeinsamen Treffpunkt zu. Nachdem wir eine Brücke überquert hatten, sahen wir das Transparent, das über die Chaussee gespannt war: *Grünau heißt euch willkommen zum Nelkenfest.* »Siehst du, Professor, man heißt uns willkommen«, sagte Hannes. Ich fragte ihn, wohin die Fahrt ging, ob ein Ziel bestimmt sei, worauf er mich nur verständnislos anblickte. »Ein Ziel, Professor? Raus aus dem Käfig ist das Ziel.« Die meist kleinen Häuser von Grünau waren mit Nelken geschmückt, Nelkensträuße standen in den Fenstern, große, aus Papier geschnittene und kolorierte Nelken prangten an den Türen, ein kleines Mädchen sah ich, das wie eine monströse Nelke gekleidet war; wohin das Auge fiel: überall herrschte und triumphierte die Nelke. Wir waren fern von Isenbüttel, hatten Isenbüttel überwunden.

Nelkenfest

In der Nähe des Stadthauses kamen wir nur sehr langsam vorwärts, Gruppen von Grünauern – frohgemut, untergehakt – strebten dem strohgedeckten Gebäude zu, über dem etliche Fahnen mit stilisierten Nelken wehten. Als wir vor dem Eingang hielten, konnte ich beobachten, wie ein Tumult entstand, ein Freudentumult, immer wieder hörte ich den Ruf: »Landesbühne, das ist die Landesbühne, die Landesbühne ist zu unserem Fest gekommen!« Beifall und Willkommensrufe waren zu hören, und als die ersten von uns aus dem Bus stiegen, wurden sie von einigen Einheimischen, denen ihr Aquavit zu erhöhter Begeisterung verholfen hatte, umarmt, beklopft, an die Hand genommen. Als Mumpert Hannes zuzischte: »Jetzt verdünnisieren wir uns«, erhielt er einen Rippenstoß: »Wir können die Leute nicht beleidigen, wir müssen hierbleiben, abwarten.« Man führte uns an mit Nelken geschmückte Tische, es waren die längsten Tische, die ich jemals gesehen hatte; zur Selbstbedienung standen auf ihnen Batterien von verschiedenen Flaschen. Kaum saßen wir zu sechst an dem Tisch, da erschien ein untersetzter, silberbärtiger Mann, Jens Uhlenkopp, der Bürgermeister von Grünau. Es fiel ihm schwer, seine Genugtuung zu äußern, in gestammelten Halbsätzen bekannte er, daß dies ein großer Tag für Grünau sei, das Erscheinen der Landesbühne werde von allen als Ehre betrachtet, obwohl dieser Tag im Zeichen der Nelke stehe – sie ist es, die Grünau im Land bekannt und – denke man an das Blumengeschäft – auch wohlhabend gemacht hat. Zu uns gebeugt, wollte er wissen, womit wir die Einheimischen erfreuen wollten, unsere Isenbüttler Uniform musternd, sagte er: »Kostümiert für die Bühne sind Sie ja schon«, darauf saßen wir eine Weile da in redlicher Verlegenheit. Hannes rettete uns aus dieser Klemme. Er, der selbst in dem von Herrn Tauber gegründeten Chor mitsang, antwortete: »Zuerst etwas Melodiöses, wir dachten uns zum Beginn Gesang hinter Gittern.« »Klingt nicht schlecht«, sagte der Bürgermeister, »wir sind bereit, zu lauschen.« Hannes, mein Zellengefährte, verständigte ruhig ein paar Männer, besprach sich mit ihnen, legte da anscheinend etwas fest, zuletzt redete er auf seinen Freund Bolzahn ein, der seit geraumer Zeit ohne seine verschiedenen Frauen auskommen mußte. Bolzahn verschwand sogleich und suchte den Hauswart auf. Sein Wiedererscheinen begleitete er selbst auf einer Ziehharmonika. Das war das Zeichen für unsere Sänger.

Brav und nicht anders stiegen sie auf die Bühne, ordneten sich da zu offenbar gewohnter Stellung und warteten auf den Einsatz; den gab Bolzahn nach einem knappen Vorspiel. Ich traute meinen Ohren nicht, was meine Gefährten da zum Besten gaben, war das Lied *Wem Gott will rechte Gunst erweisen, den schickt er in die weite Welt*, es klang nicht hoffnungsvoll oder tröstend, sondern fordernd und erwartungsvoll. Der Beifall, den sie erhielten, veranlaßte sie nicht, sich zu verbeugen, sie grinsten und stießen sich an; und da sie unsicher schienen, ob sie ein zweites Lied singen sollten, ließ sie ihr Publikum nicht im unklaren: »Zugabe!«, rief es aus dem Zuschauerraum, und dann rhythmisch »Zu-ga-be!«. Bolzahn war anzusehen, daß er nachdachte, und nachdem er still seine Wahl getroffen hatte, erfreuten uns die Sänger unter seiner Begleitung mit *Ein Jäger aus Kurpfalz*. Den heftigsten Beifall spendete ein Mann in Polizeiuniform, der im Knopfloch seiner Jacke eine Nelke trug.

Jens Uhlenkopp, der über seine Beliebtheit als Bürgermeister nicht zu klagen brauchte, wurde bereits beklatscht, als er zur Bühne ging. Er begann seine Rede mit den Worten: »Tja, tja, Mensch«, und dann ließ er sich abermals in gewohnten Halbsätzen über die Nelke aus, er erwähnte ihr Alter und ihre Schönheit, hob hervor, daß Meister von Heiligenbildern sie verewigten, vergaß nicht, daß die studentische Jugend ihr einen eigenen Namen gegeben hat, und kündigte an, daß er sich bemühen werde, den Grünauer Stempel und die Ortsschilder künftig um den Zusatz »Nelkenstadt« bereichern zu lassen. Bescheiden zu Boden blickend, ertrug er den tosenden Beifall, danach wünschte er guten Appetit beim Essen; korrigierte sich aber gleich und wies darauf hin, daß es vorher noch einen Künstler zu bestaunen gebe, der bereits im Fernsehen Triumphe gefeiert habe, Peter-Paul Zunz. »Dieser Zunz ist Bauchredner«, flüsterte Hannes mir zu, »seine Spezialität! Er besuchte alte behinderte Damen, denen er sich als ferner Verwandter vorstellte, als unschuldig in Not geratener Verwandter, sein Hoffen auf Mildtätigkeit wurde nur selten enttäuscht.« Was der Bauchredner zum Besten gab, war eine Nachhilfestunde im Rechnen. Ein großer weißer Fingerhandschuh gab den Schüler, einen, wie es anfangs schien, erstaunlich zurückgebliebenen Jungen. Es gelang ihm nicht, neunzehn und sieben zusammenzuzählen, er scheiterte an der Aufgabe, neun von einunddreißig abzuziehen, und als er aufgefordert wurde, elf mit elf zu multiplizieren, brach er in Tränen aus; sein Weinen klang glaubwürdig. Der Schüler – ich sehe noch sein blasses, verschlagenes Gesicht – wollte sich aber mit seiner Niederlage offenbar nicht zufriedengeben, er bat darum, auch eine Frage stellen zu dürfen, und weil es ihm sogleich erlaubt wurde, wollte er wissen, wie man elf Birnen und vier Äpfel zusammenzählen könne. Da spielte der Bauchredner peinvolle Unkenntnis, und er wand sich bei der Frage, zu welch einem Ergebnis man käme, wenn man sechzehn Jungen und fünf Mädchen zusammenzählte, und als der Schüler nur trocken sagte: »Unsere Klasse, die 4a, würde ihm gratulieren«, klatschten die Zuhörer.

Zum Essen gab es Kartoffelsalat und Würstchen, wer wollte, bekam noch eine Senfgurke dazu. Die Gefährten bewiesen den Einheimischen, daß es überflüssig war, guten Appetit zu wünschen.

Es wunderte mich, daß es Hannes war, der eine dreiköpfige Kapelle in den Saal holte, sehr junge Leute, die gewiß zu einer Freizeit-Band gehörten und die sich aus einem Grund, den nur sie kannten, die »Lampenputzer« nannten. Sie spielten lustvoll, sie spielten gefällig, und nachdem sich einige Grünauer auf die Tanzfläche gewagt hatten, hielt es meine Gefährten nicht mehr, zumindest die meisten von ihnen. Unsicher einige, andere entschlossen: so traten sie an einheimische Frauen und Mädchen heran und forderten sie zum Tanz auf; alle, die aufgefordert wurden, willigten ein. Welch ein vergnügtes Gewoge, welch eine Festlaune!

Ich sah das Ende dieses Festes gekommen, als mehrere Grünauer Polizisten den Saal betraten und mit berufsmäßigem Argwohn die Tanzenden betrachteten, sich gegenseitig aufmerksam machten auf wilde oder gelassene Tänzer und anscheinend erwogen, sie herauszuwinken; es war aufschlußreich, wie rasch ihr Mißtrauen sich auf Ziele einigte. Mir entging aber auch nicht, daß dieser oder jener Tänzer seine Partnerin stehenließ und zum Ausgang strebte.

Peter-Paul Zunz schien den Polizisten besonders aufzufallen, zwei von ihnen traten an ihn heran und legten ihm während des Tanzes eine Hand auf die Schulter und forderten ihn auf, mitzukommen – was dem Bauchredner offenbar mißfiel oder ihn sogar reizte, denn mit erhobener Stimme protestierte er gegen diese, wie er sagte, anmaßende Unterbrechung und fragte, ob man in Grünau denn die elementare Höflichkeit vergessen hätte. Man wurde aufmerksam auf seinen Protest, man stimmte seiner Beschwerde zu, man nahm Partei für ihn. Vermutlich, weil er das Fest gestört sah, erhob sich Jens Uhlenkopp, der Bürgermeister, und mahnte Ruhe an und Frieden und forderte die Polizisten auf, sachte einzuschreiten oder sich festlich zurückzuhalten. Abschließend fiel ihm der Satz ein: »Wenn Grünau feiert, feiern alle, auch unsere Polizei, das sollte sich auch an der Stimmung zeigen.«

Mir fiel auf, daß Hannes jeden, der sich zum Ausgang bewegte, zu sich rief, ihn offenbar kurz befragte und danach etwas in eine Kladde eintrug und, während er schrieb, etwas murmelte. Aufblikkend ließ er sich dann anscheinend wiederholen, was er gesagt hatte, nickte zufrieden, legte dem Mann eine Hand auf den Arm, das erschien wie eine Abmachung.

Plötzlich stand Hedwig vor uns, eine untersetzte, füllige, blonde, kleine Frau mit gutmütigem Gesichtsausdruck; sie lächelte und fragte: »So allein?«, und bevor ich noch etwas gesagt hatte, fügte sie hinzu: »Wie wär's mit uns beiden? Sie tanzen doch bestimmt gern.« Ich tanzte mit Hedwig, einen gemächlichen Walzer zunächst und danach einen Tango, bei dem sich ihr Gesicht veränderte, einen Ausdruck von Energie, ja von Verbissenheit zeigte, ruckhaft warf sie ihren Kopf, ließ ein Bein herausfordernd stehen, bewegte sich dann wieder raumgreifend, als eroberte sie die Tanzfläche. Als sie einmal sagte: »Ich bin Hedwig«, fiel mir nichts anderes ein, als zu entgegnen: »Ich bin Clemens.« Der Name schien ihr zu gefallen, sie wollte gleich mehr wissen, wo ich engagiert sei, an welcher Bühne, in welcher Stadt, sie selbst sei zum letzten Mal in Neumünster im Theater gewesen, der Hauptdarsteller des Stücks – es hieß übrigens *Der Jugendfreund* – soll eine verblüffende Ähnlichkeit mit mir gehabt haben. Um Hedwig nicht zu enttäuschen, erzählte ich ihr, daß ich zuletzt eine klassische Rolle gespielt hatte, den Dorfrichter Adam im *Zerbrochnen Krug*; das interessierte sie so sehr, daß sie mich bat, ihr Näheres über diesen Richter zu sagen, überhaupt, etwas über meine Erfahrungen, meine Erlebnisse als Schauspieler. Sie schlug mir vor, zu ihr zu gehen, nur über die Straße, durch den Park, wenn ich es wünschte, könnte ich auch ein paar Kameraden mitnehmen, auch bei ihr ließe es sich feiern. Ich hielt es für ausreichend, mit ihr allein zu gehen.

Hedwig war die Besitzerin der einzigen Grünauer Konditorei, zu der ein geräumiges Café gehörte, im Schaufenster wurden frische Waffeln angeboten, in der Innenwand leuchtete ein Aquarium mit Zierfischen. Die sehr junge Serviererin, die die Bestellung entgegennahm, knickste vor Hedwig, die mir nicht die Wahl überließ, sondern ein Stück Kirschkuchen mit Streuseln für mich bestellte. »Es ist unsere Spezialität.«

Wann ich das nächste Mal wieder auf der Bühne stehen würde, konnte ich ihr nicht sagen; die Bereitschaft, gegebenenfalls auch weiter zu reisen, um mich zu sehen, rührte mich, sie erklärte, daß sie ihr Personal auch schon mal mehrere Tage allein lassen konnte, es sei eine eingespielte Truppe, man empfinde sich als Familie. Nach ihrem Mann brauchte ich nicht zu fragen, mit einer Nachsicht, aus der sich leise Ironie heraushören ließ, vertraute sie mir an, daß er zur See fahre, nicht auf Küstenschonern, sondern Seemann auf großer Fahrt sei, da könne es schon vorkommen, daß man den Namen seines Heimathafens von Zeit zu Zeit vergesse. Hedwig nickte: »So ist es, manchmal geschieht etwas im Leben, mit dem man sich abfinden muß.« Sie lenkte meinen Blick nach draußen, zu dem kleinen Park, wo zwei Männer erschienen, schlendernd, vertieft in ein lebhaftes Gespräch. Da ging Hannes, der auf den Grünauer Bürgermeister einsprach, der dann und wann ungläubig zuhörte und stehenblieb, als ließe er sich einen Satz wiederholen. Er schüttelte den Kopf, er lachte, beide lachten, einmal gaben sie sich überraschend die Hand, schienen etwas zu besiegeln. Nachdem sie sich getrennt hatten, wandten sich beide wie auf ein Kommando um und winkten.

Als Hannes am Café vorbeigehen wollte, klopfte ich an die Scheibe und gab ihm zu verstehen, hereinzukommen, er war froh, mich hier zu sehen. Mit den Worten: »Hier steckst du, Professor«, gab er mir die Hand, und während er Hedwig begrüßte, lächelte er anzüglich. Hannes gab vor, mich gesucht zu haben, er wies mich darauf hin, daß ein Treffen, ein sehr wichtiges Treffen, stattfinde, in unserem Bus, der unten am Seeufer stand, zwischen den Erlen. Er schlug mir vor, gleich mit ihm zu gehen, zur Enttäuschung von Hedwig, die nicht verstehen konnte, daß ich zu einem angeblich wichtigen Treffen kommen sollte, gerade jetzt, wo man sich der Stimmung, in die das Nelkenfest alle gebracht hatte, überlassen möchte. Hannes spürte, daß er sie in ihrer Enttäuschung trösten mußte, er redete sie mit »beste Frau« an, und mit einem

Ausdruck glaubwürdiger Bekümmerung erklärte er, daß er und seine Kameraden gelegentlich den Pflichten gehorchen müßten, die ihnen aufgegeben seien. Ohne Proben kämen sie in ihrer Arbeit nicht weit, und nun sei es an der Zeit, sich über Proben zu verständigen. Ich mußte Hannes bewundern, er log beeindruckend. Ich versprach Hedwig, so rasch wie möglich wiederzukommen, und folgte Hannes.

Entscheidungen im Bus

Der Bus, der unter Erlen am Seeufer stand, war nicht mehr voll besetzt, mehr als die Hälfte meiner Gefährten, die Isenbüttel verlassen hatten, fehlte. Bei seinem Erscheinen bestürmten einige sogleich Hannes, sie schlugen ihm vor, sofort aufzubrechen, nach Hannover oder Düsseldorf, nur weg aus der Nähe von Isenbüttel, weg von Grünau; zwei andere – und die gaben sich unduldsam – schlugen dagegen vor, zu bleiben, einstweilen zumindest. Sie wiesen darauf hin, daß dieser und jener bereits Anschluß gefunden habe an die Grünauer Bevölkerung, das Wohlwollen, das man überall erfahre, sei vielversprechend, hier sei man sicherer als auf einer bewachten Straße, auf der der Bus der Landesbühne vielerorts gewiß erwartet werde. Hannes, der dieser Ansicht zustimmte, zog mich in das Heck des Busses, er mußte mir etwas anvertrauen, wollte mich für einen Plan gewinnen.

»Also hör zu, Professor, es geht um etwas Einmaliges, von dem man bestimmt eines Tages sprechen wird.« Er vergewisserte sich, daß uns niemand zuhörte, dann erzählte er, daß der Bürgermeister ein unerwartetes Gespräch mit ihm geführt habe, ein bekenntnishaftes Gespräch, das ihn zunächst »von den Socken holte«, wie er sagte. Der Bürgermeister ließ durchblicken, daß Grünau zu Unrecht nur ein bescheidenes Randdasein führte, aber durchaus zu mehr berufen sei; seine Stadt habe das Zeug, über sich hinauszuwachsen, ein Mittelpunkt zu werden, ein Kulturmittelpunkt, der Besucher von nah und fern anziehe, auch Touristen auf dem Weg nach Skandinavien. »Verstehst du, Professor: dieser Mann ist ehrgeizig, und er hat bereits Pläne; seine Pläne reiften, als die Landesbühne zu Besuch kam, in uns, Professor, glaubt er die Ausführenden für seinen Ehrgeiz gefunden zu haben, für seinen Gründerehrgeiz.« »Und welche Pläne hat er?« fragte ich. »Einen Chor«, sagte Hannes, »der Bürgermeister möchte einen Grünauer Chor gründen, die Grundlage glaubt er schon entdeckt zu haben, außerdem träumt er davon, ein kleines, aber aufschlußreiches Museum einzurichten, in dem die bewegte Geschichte Grünaus ablesbar ist, und zuletzt aber möchte er – das Beispiel dafür habe er in

Kiel gefunden – eine Volkshochschule ins Leben rufen, die Mittel dafür glaubt er leicht beschaffen zu können.« Hannes musterte mich erwartungsvoll; da ich schwieg, fragte er: »Na, Professor! Bei der Volkshochschule hab ich gleich an dich gedacht. Stell dir vor, du würdest Vorträge nach eigenem Gutdünken halten, beispielweise über Volkslieder oder, wo du ja zu Hause bist, über Sturm und Drang.« Ermunternd stieß er mich an: »Was meinst du? Man würde dir zuhören, man würde dich verehren und dir Beifall klatschen.« »Und du«, fragte ich, »welch eine Aufgabe hast du dir zugedacht?« »Museum«, sagte Hannes, »ich könnte bei der Einrichtung des Grünauer Museums mitarbeiten und später vielleicht Hausmeister werden.«

Ich konnte Hannes' Plänen nicht zustimmen, ich versuchte ihn davon zu überzeugen, daß unsere Chancen nur im Verborgenen liegen, im Anonymen, und daß jeder Auftritt in der Öffentlichkeit ein Risiko darstellt, woraufhin er entgegnete: »Du irrst dich, Professor, das sicherste Versteck ist die Öffentlichkeit.« Und er erzählte mir, daß er bereits zweimal aus Isenbüttel geflohen sei und zweimal wieder eingefangen wurde, nicht zuletzt deshalb, weil er ein öffentliches Amt – man hatte ihm angeboten, Falschparker in einer Stadt zu zählen und zu registrieren – ausgeschlagen hatte. »Glaub mir, Professor, die Öffentlichkeit bietet Schutz, in ihr kannst du dich am leichtesten verbergen.«

Während wir noch diese Behauptung erwogen, wurde die Tür aufgerissen und Peter-Paul Zunz polterte herein, der Bauchredner trug etwas unter einer Decke, auf das er mit einem triumphierenden Gesichtsausdruck aufmerksam machte, beidhändig trug er es zu uns ins Heck des Busses, schlug die Decke zurück und gab den Blick frei auf eine schlichte metallene Kasse. In schwarzen Buchstaben stand darauf *TuS Grünau.* Er probierte mehrere Schlüssel, einer funktionierte, beim Anblick etlicher Fächer voll mit Münzen sagte der Bauchredner: »Für Taschengeld ist gesorgt.« In einem Nebenfach lagen zwei Rollen mit Eintrittskarten, er nahm sie heraus und sagte: »Wir sind zum nächsten Spiel eingeladen, Bezirksklasse.« Hannes machte eine sichelnde, verneinende Bewegung, er mißbilligte, was er sah, er knurrte, und als er erfuhr, daß die Kasse aus dem Vereinshaus des Turn- und Sportvereins Grünau stammte – »Es war offen, das Vereinshaus war offen« –, fuhr er Zunz an und forderte ihn auf, die Kasse sofort zurückzubringen. Als der ihn ansah, befahl Hannes heftig: »Los, mach schon.« Und, da die Verständnislosigkeit von Zunz andauerte: »Wir haben eine eigene Strategie beschlossen, aber das begreifst du nicht, bring das Ding zurück, für uns alle.« Der Bauchredner zuckte die Achseln und gehorchte!

Aussichten

Wer als erster ins Wasser ging, habe ich nicht gesehen, auf einmal standen sieben meiner Gefährten im flachen Wasser des Sees, alle nackt; sie planschten, sie bespritzten einander, sie versuchten, sich gegenseitig unter Wasser zu drücken. Das übermütige Badeleben wirkte so anziehend, daß ich den Bus verließ, meine Kleider auszog und ins Wasser watete, gleich von Bolzahn umklammert und mit Seewasser bespien, von diesem Frauenliebling, der sich tatsächlich eine Seerose vor die Brust gehängt hatte, die er in einer seichten Bucht pflücken konnte. Nach dem Bad zogen wir uns an, wobei wir uns auch der Kleider bedienten, die den Schauspielern gehörten. Einer kam auf die Idee, ein Feuer anzuzünden, wir schleppten trockene Äste heran, fanden am Ufer Kistenholz und ein morsches Floß, das jemand vergessen hatte, und wir hockten uns in den Sand und starrten in die Flammen und erfreuten uns an dem gelegentlichen Funkenregen. Als wir feststellten, daß wir etwas gegen den aufkommenden Durst tun mußten, bot Mumpert sich an, mit dem Bus loszufahren, um aus Grünau einen Kasten Bier zu holen. Er brauchte es nicht zu tun; beunruhigt sahen wir ein kleines Auto den holprigen Weg zum See herabkommen, es fuhr nah an das Feuer heran und meldete sein Erscheinen mit einem Hupsignal. Drei Männer stiegen aus, einer von ihnen griff sich gleich einen Ast und warf ihn in die Flammen. »Das ist er, Professor«, sagte Hannes, »das ist der Bürgermeister, ich werde dich mit ihm bekannt machen.«

Einer, den der Bürgermeister mitbrachte, hieß Pannwitz und war sein Stellvertreter, der andere Mann hieß Krosig und war der Chefredakteur des *Grünauer Tageblatts*, Krosig machte uns ein Kompliment, er sagte: »Wir können es nicht hoch genug schätzen, daß sich die Kultur hierher verirrt hat«, und da seine Begleiter nickten, fügte er hinzu: »Sie werden es verstehen, daß wir Sie nur ungern gehen lassen.« Selbstverständlich wußte er, daß die Landesbühne unter Vertrag stand und langfristige Verpflichtungen zu erfüllen hatte, das erschien ihm nicht als unüberwindbares Problem, sein Freund im Kultusministerium wisse da bestimmt Rat, im übrigen sei dieser in der Lage, übergeordnete Interessen anzuerkennen, und in diesem Fall handele es sich um übergeordnete Interessen, um einen Dienst an Grünau. »Grünau soll leuchten, und wenn wir uns einig sind, wird es leuchten.« Wie es sich zeigte, wie es sich wohl oft zeigte, war der Bürgermeister für ähnliche Lagen vorbereitet, er holte aus seinem Auto eine Kiste Grünauer Pils, und wir tranken auf seine blühende Stadt und auf das Amt, das Hannes und mir formlos zuerkannt worden war. Obwohl wir das Vertrauen der Stadt genossen, schien es uns geraten, unsere Herkunft im dunkeln zu lassen.

Angebote

Auf dem zweifarbigen Aushang am Stadthaus, auf dem eine Vortragsreihe im Rahmen der neugegründeten Volkshochschule angekündigt wurde, konnte man lesen, daß es Grünau gelungen sei, den weithin bekannten Professor Clemens Hydikotti von der Universität Budapest zu verpflichten; er werde über drei Themen sprechen: über das Geschenk der Phantasie, über Jugendliteratur und schließlich über das Thema, mit dem er seinen Ruf begründete, über die Epoche des Sturm und Drang.

Mir war klar, daß Hannes als Ratgeber tätig gewesen war oder als Mitautor, und ich zweifelte nicht, daß die Überschrift auf dem Aushang von ihm stammte: *Grünauer Kultur – Festwoche im Rahmen des Nelkenfestes.*

Die Wahl, die Kulturwoche zu eröffnen, fiel auf mich. Daß ich nicht mehr als elf Zuhörer zählte, enttäuschte mich nicht; ich hatte keine Mühe, einzusehen, daß das Thema meines Vortrags den

Grünauern nicht als lebensnotwendig erschien. Immerhin, elf waren gekommen, und wie ich hinterher erfuhr, waren unter ihnen mehrere Lehrer der Realschule. Der Beifall, mit dem ich begrüßt wurde, entsprach gewiß ihrem Temperament, auf das schon eine blonde Schläfrigkeit hindeutete.

Ich begann mit einer Behauptung; auch in Grünau, so sagte ich, sei das Abwesende die Quelle der Einbildungskraft, die Quelle der Phantasie. Das hat schon Proust festgestellt, und das gilt allerorts. »Auch in Grünau«, setzte ich fort, »meistern wir den Mangel mit Hilfe der Phantasie und retten uns aus Situationen der Mutlosigkeit.« »Richtig«, rief ein Mann im Hintergrund, »sehr richtig«; es war der Bürgermeister. »Verzweiflung zu ertragen, Hoffnungslosigkeit auszuhalten, Entbehrungen zu überwinden, wer, wenn nicht die Phantasie, hilft uns dabei.« Ich erwähnte die Schöpfer von Utopien, die Unzulänglichkeiten der Welt überwinden wollten durch Korrekturmodelle. Daß wir der Einbildungskraft sowohl in der Politik als auch in den Naturwissenschaften manches zu verdanken haben, bebilderte ich mit sinnvollen Beispielen. Der Vertreter des Bürgermeisters nickte heftig und scheute sich nicht, einen abgestandenen Zwischenruf zu riskieren: »Phantasie an die Macht«, rief er,

»auch in Grünau muß Phantasie an die Macht.« Der Beifall, den er erhielt, schien ihn zu überraschen. Der Bürgermeister konnte sich zum Beifall nicht entschließen, er blickte zu Boden. Den wortärmsten Glückwunsch zu meinem Vortrag erhielt ich von Hedwig, sie zeigte mir die entwertete Eintrittskarte und sagte nur: »Das war toll, das hat sich gelohnt.« Und dann fragte sie auch, ob ich bereits eine Bleibe für die Nacht finden konnte, Grünau sei mit Fremdenzimmern nicht gerade gesegnet, in ihrem Café habe sie zwei ansprechende Unterkünfte, ihr Hauptlieferant schlafe da mitunter, in jedem Fall sei es dort angenehmer als im Bus. Ich nahm die Einladung an – zu schnell, wie sich zeigte, denn kurz darauf erhielt ich zwei weitere Einladungen, eine von der erstaunlich jungen Lehrerin der Realschule, die Deutsch und Sport unterrichtete.

Auf dem Weg zu Hedwigs Café ging ich am Bus der Landesbühne vorbei; der Bus war nicht leer. Einige meiner Gefährten schliefen oder versuchten zu schlafen, andere spielten Karten, aus dem Heck hörte ich leisen, wehmütigen Gesang, der mich an den Gesang der Wolgaschiffer erinnerte. Mitten unter ihnen saß Hannes, rauchend schien er über das Idyll zu wachen, und einen Augenblick war ich versucht, zu ihnen hineinzugehen.

Hedwig erwartete mich. Sie trug ein weitläufiges Trachtenkostüm und eine Haube mit zwei Bändern, die auf den Rücken fielen. Noch bevor wir uns an den Ecktisch setzten, auf dem belegte Brötchen und eine Flasche Rotwein standen, sagte sie, daß ihr die Phantasie auch manche Unruhe bringe, besonders, wenn der Mann auf großer Fahrt sei, Photos ihres Mannes hingen an der Wand, die einen rundköpfigen Mann zeigten, der überall, wo er zu sehen war – auf einer Brücke, auf einem Fallreep, beim Belegen eines Pollers –, einen triumphierenden Eindruck machte. Auf dem Photo, das auf dem Tisch stand, blickte er vorwurfsvoll. Obwohl die belegten Brötchen sehr schmackhaft waren, fühlte ich mich unter seinem Blick nicht besonders wohl, gelegentlich glaubte ich, daß er meine Anwesenheit mißbilligte, oder darauf aus sei, mich zu entlarven. Einmal brachte mich Hedwig in Verlegenheit, sie wollte wissen, was ich nun sei, Professor oder Schauspieler, und ich tischte ihr auf, daß mein Titel nur ein Nenntitel sei, wie manche Schauspieler ihn führten, ich erfand mir eine Schwester, die als Kammersängerin an der Wiener Oper auch den Professorentitel besäße. Meine Professur an der Universität Budapest, auf die im Aushang hingewiesen wurde, sei nur eine Ehrentätigkeit gewesen. Darauf schenkte Hedwig uns ihren Rotwein ein und trank mir zu.

Daß ich meinen Beutel mit den Toilettengegenständen nicht bei mir hatte, bedrückte mich, und es war mir peinlich, als Hedwig mich einlud, in einem der beiden Räume vorläufig ein Notquartier zu beziehen. Es waren schmale, schmucklose Räume, die ineinandergingen, für beide gab es ein dürftiges Badezimmer. Zu meiner Freude entdeckte ich dort Rasierzeug und Pinsel, die entweder von Hedwigs Mann stammten oder von jenem Lieferanten vergessen worden waren. Auch eine Flasche Rasierwasser stand auf dem Bord.

Lange konnte ich nicht einschlafen, und nachdem es mir endlich gelungen war, weckte mich Hedwigs Stimme. Sie war im Nebenraum, und sie war anscheinend nicht allein. Ihre Stimme klang versöhnlich, manchmal glaubte ich auch, Hedwig rechtfertige sich. Ich linste hinüber, gewärtig, einen Mann zu sehen, doch zu meinem Erstaunen war niemand bei ihr. Den Namen, den sie in ihrem Selbstgespräch mehrmals wiederholte, hatte ich auf einem der Photos gelesen. »Immer Dein Rudolf –« stand da, und auf einem anderen: »Auch in der Ferne denkt an Dich Dein Rudolf.« Also Grüße von großer Fahrt. Einmal glaubte sie, ihrem Rudolf etwas vorhalten zu müssen, sie erinnerte ihn an ein Versprechen, ihr aus Manila und aus Schanghai zu schreiben, diese Versprechen hatte er nicht gehalten, ihre Enttäuschung darüber dauere bis jetzt.

Im Morgengrauen hörten wir Rufe, sie kamen aus der Nähe; wie ich annahm, aus dem Café, es waren zwei Stimmen. »Das ist Hannes«, sagte ich, und Hedwig: »Das ist der Bäcker, er bringt Kranzkuchen und frische Brötchen.« Eilig gingen wir ins Café hinab, und während der Bäcker seine Bleche hereintrug, entschuldigte Hannes sich zwinkernd für die Störung. Er sei unterwegs, um etwas gegen den ersten Hunger zu tun, für sich und seine Kameraden, die im Bus auf ihn warteten. Tatkräftiger kann Mitleid oder Hilfsbereitschaft nicht sein: Hedwig pflückte zwei Tüten von einem Eisenring, holte noch zwei Kartons aus einem Nebenraum, und dann packte sie großzügig ein, Kuchen und Brötchen und sogar eine Käsetorte. Hannes winkte ab, »das reicht, das ist genug«, darauf sagte Hedwig: »Künstlervolk ist immer hungrig«, und lächelte, als habe sie da eigene Erfahrungen: »Großer Hunger, aber wenig Geld.« Nach dem letzten Satz verbeugte sich Hannes, und indem er seine Hände zusammenlegte, womit er Dankbarkeit ausdrückte, sagte er tatsächlich: »Gott segne Sie.« Über Bezahlung sprach er nicht, glaubte er auch nicht sprechen zu müssen.

Freude herrschte im Bus, als Hannes und ich mit der Last an frischen Backwaren ankamen, der Gesang verstummte, die Gespräche verstummten; so diszipliniert, daß es manchen Zuschauer gewundert hätte, stellten sich meine Gefährten in einer Reihe an zum Empfang der Backwaren. War das ein Schnappen, ein Stöhnen, ein Schlucken, und Peter-Paul Zunz machte sich ein Vergnügen daraus, die Wohltat des Essens mit der Stimme des Bauchredners zu kommentieren. Hannes bedauerte es, daß sich, wie er feststellte, einige Männer selbständig gemacht hatten und offenbar versuchten, sich auf eigene Faust durchzuschlagen, von etlichen glaubte er zu wissen, daß sie private Angebote angenommen hatten und am Ort untergetaucht waren.

Dem *Grünauer Tageblatt* war nicht entgangen, was sich in kurzer Zeit in der Stadt ereignete, wie viel ungewohnte Initiative am Werk war, um die Stadt aus ihrem langen Schlummer zu wecken. Mir verschlug's fast den Atem, als ich in der Wochenendausgabe einen Bericht fand, der mit zwei kleinformatigen Photos bebildert war. Die Photos zeigten Hannes und mich. In einem Gespräch gab Hannes Auskunft, wie er als Beauftragter für das

Heimatmuseum die geschichtlichen Zeugen anordnen wollte und was ihm überhaupt unentbehrlich schien an sprechendem Inventar.

Es verblüffte mich, wie weit alles in seinem Plan gereift war, tief wollte er zurückgehen bis in den Dämmer der Vorzeit, in einer Abteilung sollte erstes Grünauer Werkzeug zu sehen sein, Steinäxte, Steinhämmer und Schaber für Felle, selbstverständlich auch steinerne Pfeilspitzen. Was die Grünauer zum Fischfang verwendeten, sollte ebensowenig fehlen wie Schuhe aus Baumbast und frühe Spinnräder, und er hoffte sogar einen frühen Halsschmuck aus Muschelschalen aufzutreiben. Da ihm zu Ohren gekommen war, daß vor Jahrhunderten ein schwedisches Heer durch Grünau gezogen war, fehle es ihm nicht an der Zuversicht, zumindest einen Beweis dafür liefern zu können. Hannes, mein undurchsichtiger Zellengenosse Hannes, wußte, was er wollte. Die alteingesessenen Landbesitzer in Grünau sollten in den nächsten Tagen in sein Vorhaben eingeweiht werden, außerdem war er bemüht, einen sogenannten hölzernen Halsblock zu beschaffen, in dem in alter Zeit Gesetzesbrecher eingeklemmt und auf dem Marktplatz ausgestellt wurden. Am Ende des Berichts las ich: »Das Gespräch führte Isolde Bromfeld.«

Ich las den Namen zweimal, denn ich konnte es nicht glauben, daß sie es sein sollte, Isolde Bromfeld, einst die schläfrigste unter meinen Studenten und nun Redaktionsmitglied des *Grünauer Tageblatts*, Isolde, die keine Gutwilligkeit der Welt durchs Examen gebracht hätte. Mit dem Namen drängte sich ihr Erscheinungsbild auf; der Flachskopf, die müden Augen und der immer offene Mund. Hannes, der so vieles wußte, konnte mir sagen, daß eine gewisse Isolde Bromfeld nicht Redakteurin war, sondern als Volontärin beim *Grünauer Tageblatt* arbeitete. Redakteur oder Volontär: ich hatte sie nicht durchs Examen bringen können, ihre Interpretation des *Hofmeister* war schlechthin erbärmlich und was sie über Charakteristika des Sturm und Drang ermittelt hatte, schlichtweg ungenügend. Immerhin freute es mich, daß meine ehemalige Studentin eine herausragende Position gefunden hatte, eine Position in einem Blatt, das den Grünauer Blumenmarkt als das bedeutendste Ereignis in Norddeutschland feierte und dem Ringreiten eine ganze Doppelseite widmete. Ich sah voraus, daß sie in ihrem Blatt auch über meine Vortragsreihe berichten würde, und ich war sicher, daß sie mein Auftreten als willkommene Gelegenheit nehmen würde, es mir heimzuzahlen.

In allen Vorträgen sah ich Isolde Bromfeld in der letzten Reihe sitzen mit Notizblock und Kugelschreiber, es entging mir nicht, daß sie mitunter den Kopf schüttelte oder abschätzig lächelte, nur bei meinem Vortrag über den *Sturm und Drang* saß sie wie versteinert da, ohne eine einzige Notiz zu machen. Als ich einen bescheidenen Scherz über Maler Müller machte, lachte sie hell auf und wischte sich über ihren Flachskopf; in diesem Augenblick gefiel sie mir, und ich beschloß, sie nach dem Vortrag anzusprechen oder sie vielleicht einzuladen. Es kam nicht dazu.

Bevor ich sie nach meinem Vortrag abfangen konnte, kam überraschend Karl Tauber, der Direktor von Isenbüttel, auf mich zu. Ich hatte Herrn Tauber nicht unter meinen Zuhörern bemerkt; er begrüßte mich mit einem kräftigen Handschlag und gratulierte mir zu der, wie er sagte, »augenöffnenden Darstellung«, danach bot er mir eine Zigarette an und zog mich ans Fenster. Wie ausdauernd er seinen Blick auf mir ruhen ließ, einen ergründenden Blick, doch nicht ohne Sympathie, und ich dachte: Gleich wird er sagen: »Ihr Bett ist unbenutzt«, oder: »Ich vermisse Sie«, doch er schwieg nur, schmunzelte und schwieg. Ich wäre nicht verwundert gewesen, wenn dieser kunstbeflissene Mann mich zu einem Vortrag in sein Isenbüttel eingeladen hätte. Als er zum Schluß sagte: »Wir sehen uns gewiß wieder, lieber Professor«, war ich sicher, daß dies auch geschehen werde.

Vom Fenster aus sah ich ihn auf den Vorplatz hinaustreten, sah auch, wie er Isolde Bromfeld winkte und zu ihr ging und sie freudig begrüßte; ich hätte gern gehört, worüber sie bei der Begrüßung sprachen, einander anvertrauten, was sie über mich wußten. Einmal bewog sie ihr Austausch, ungläubig dazustehen. Allem Anschein nach luden sie sich gegenseitig ein, gemeinsam wegzufahren, ihre Autos standen nah beieinander, schließlich entschied sich Isolde Bromfeld, sich neben Herrn Tauber zu setzen. Ich mußte annehmen, daß das Ende des unterhaltsamen Ausflugs gekommen war. Auch mein Gefährte Hannes, der zweimal glücklich in die Selbständigkeit entkommen war, mußte es für sich und für uns annehmen.

Am nächsten Morgen erschien er als erster Gast in Hedwigs Café; er forderte mich dringend auf, sogleich an seinen Ecktisch zu kommen, bestellte bei der Serviererin weder Kuchen noch Kaffee, wartete, bis wir allein waren, und schob mir wortlos eine Zeitung zu, die Sonderausgabe des *Grünauer Tageblatts*. Neugierig beobachtete er, wie ich die Zeitung aufschlug, ungeduldig sagte er: »Weiter, unter ›Tagesberichte‹.« Da stand tatsächlich ein Bericht über meine Vorträge, ein Einspalter, gezeichnet mit I. B. Nein, meine ehemalige Studentin übte nicht wohlfeile Vergeltung, hielt nicht, obwohl es sich anbot, Gericht über meine Vorträge, die naheliegende und von mir erwartete Zerpflükkung blieb aus. Nur meinen Sprechstil glaubte sie kritisch anmerken zu müssen, meine Zitierfreude und damit den mangelnden Mut, eine eigene Meinung zu äußern. Was ich über den Sturm und Drang sagte, hatte ihr aus besonderem Grund mißfallen, sie nannte diesen Vortrag das typische Referat eines Innenseiters, der nicht merkt, daß er über die Köpfe hinwegspricht. Insgesamt aber fand sie zu dem Fazit, daß alle, die mir zugehört hatten, bereichert nach Hause gegangen waren.

Während ich noch über den Einspalter grübelte, hatte Hannes die Kulturseite aufgeschlagen. Unter der Schlagzeile »Große Tage in Grünau« war da eine Porträtseite mit kleinen Photos gedruckt, auch mein Photo war darunter sowie die Photos mehrerer meiner Gefährten. Auch Hannes war zum zweiten Mal in diesem Blatt abgebildet. Der Leitartikel – und auch ihn hatte Isolde geschrieben – war eine einzige Huldigung an die Landesbühne, die, wie zu lesen war, zeitgerecht zum Nelkenfest erschienen war und diese traditionsreiche Begebenheit kulturell überhöhte – so bemerkenswert, daß man, wenn sich dieses Zusammentreffen wiederholte, eines Tages von den »Grünauer Kulturtagen« würde sprechen können. Hannes wartete, bis ich den Leitartikel gelesen hatte, dann sagte er: »Das geht nicht gut, Professor, für uns geht's nicht gut!« »Warum?« fragte ich. »Es wird heiß, man kennt unsere Gesichter, man hat erfahren, daß eine ganze Busladung Isenbüttel verlassen hat, man ist uns bestimmt schon auf den Fersen.« »Und was schlägst du vor?« »Wir taufen den Bus um; statt ›Landesbühne‹ steht auf ihm ›Sonderfahrt‹ oder von mir aus ›Die Zugvögel‹ – du hast ja gesehen, was auf manchen Bussen steht, welche launigen Namen man auf ihnen lesen kann, und wenn wir unser Ding umgetauft haben, sagen wir Grünau ade.« »Und wohin soll's gehen?« »Jetzt ist die Öffentlichkeit kein gutes Versteck mehr. Jetzt gibt's nur ein Land, in dem wir uns wohl fühlen werden: Dänemark, wir gehen dorthin, wo Nachbarschaft großgeschrieben wird, in das Königreich Dänemark.« »Auch dort haben sie eine wachsame Polizei.« »Aber sie haben auch das großzügigste Sozialsystem der Welt; wenn wir dort als Sozialfall registriert werden, sind wir aus dem Gröbsten raus, und wir können dort endgültige Pläne machen.«

Wir standen auf, denn durch die Tür, an der das Schild *Privat* klebte, kam Hedwig herein, düster, mit verkniffenen Lippen, Hannes bot ihr sofort seinen Stuhl an, doch sie wollte sich nicht setzen und überhörte seinen Gruß. Schroff und nicht anders fragte sie uns, wie wir das Verhalten zweier Schauspielerkollegen beurteilten, die auf der Chaussee nach Eckernförde den Lieferwagen der Großbäckerei angehalten hatten. »Sie haben den Wagen angehalten«, sagte sie, »sie haben den Fahrer genötigt, sie mitzunehmen.« Der Fahrer mußte sie unter Drohungen zum Busbahnhof bringen, dort stiegen sie aus. Zum Glück war da eine Polizeistreife, der Fahrer wurde Zeuge, wie die Schauspieler angehalten und überprüft wurden, er meinte, sie wurden dann mitgenommen. Hannes wollte es nicht glauben, er fragte: »Schauspieler? Waren die von uns?« »Der Fahrer kannte sie«, sagte Hedwig, »auch er war im Stadthaus und hatte die beiden gesehen, sie gehörten zum Chor, der so schön gesungen hat.« Es entsprach Hannes, daß er für die beiden Gefährten ein gutes Wort einlegen wollte, er sagte: »Ach, wissen Sie, die beiden hatten nichts anderes vor, als sich die Füße zu vertreten, immer in beengtem Raum, da hat man schon das Bedürfnis, sich frei zu bewegen.«

Eine Serviererin kam an unseren Tisch. Sie fragte Hedwig, welch einen Tischschmuck sie wünsche für die Gäste aus Husum, Hedwig seufzte nur und sagte: »Na, was denn, Kindchen, Nelken natürlich, kleine Vasen.« Zu mir sagte sie: »Ein Sparverein aus Husum hat sich überraschend angesagt, die wollen wohl Kultur tanken, hier in Grünau.« »Es regt sich ja so manches in Grünau«, sagte Hannes, worauf Hedwig ihn eingehend musterte, lächelte und dann sagte: »Sie sind doch der neue Museumsdirektor?« »Man tut, was man kann«, sagte Hannes. »Vielleicht kann ich Ihnen meine Unterstützung anbieten«, sagte Hedwig. »Ich stelle mir vor: ein Kaffeeausschank mit Kleingebäck; wenn Ihre Besucher, erschöpft vom Rundgang, Erholung brauchen, verweilen sie beim Ausschank.« »Das sollten wir in Ruhe diskutieren«, sagte Hannes und verabschiedete sich mit dem Argument, daß dringende Arbeiten auf ihn warteten, Malerarbeiten. Hedwig blickte erstaunt, als er ihr die Wange tätschelte.

Grünaus Zukunft beginnt

Die Blitzlichter draußen vor dem Bus machten uns neugierig, mehrere von uns klebten an den Scheiben und beobachteten die beiden jungen Männer, die nach Photographen aussahen – einen Photoapparat in den Händen, einen zweiten an Riemen vor der Brust – und Aufnahmen von unserem Bus machten, von vorn und immer wieder von der Seite, wo noch die alte Aufschrift zu lesen war. Als sie offenbar zufrieden waren, winkten sie uns raus, mich dirigierten sie an die Seite und baten mich, mit ausgestreckter Hand auf das Wort *Landesbühne* zu zeigen und dabei einladend zu lächeln, sie sagten wirklich: »Und nun lächeln Sie mal einladend.« Hannes weigerte sich, meine Pose zu wiederholen, er wollte wissen, in wessen Auftrag die Photographen hier herumstrolchten, und jetzt erfuhren wir, daß der Bürgermeister sie beauftragt hatte, sowohl das Nelkenfest als auch die Gegenwart der Landesbühne zu dokumentieren, mit Photos, die zu einem Bildband vereinigt werden sollten. Einer der beiden öffnete eine Tasche und zeigte uns Aufnahmen von unserer Ankunft auf dem Stadtplatz von Grünau, zeigte uns auch Schnappschüsse von dem bewegten Fest im Stadthaus. »Sieht alles sehr heiter aus«, sagte Hannes, und einer der Photographen darauf: »Das war unser Auftrag.« Ohne daß ich es bemerkte, hatten sie auch mich während meiner Vorträge photographiert. Ein Foto zeigte mich mit gebieterisch gerecktem Zeigefinger, meine Augen auf die Decke gerichtet, nicht anders, als wollte ich eine Eingebung, die ich von oben empfing, achtsam weitergeben. Auch Bolzahn war groß im Bild und mehrmals meine singenden Gefährten. Ihr Chor sang vermutlich gerade *Wem Gott will rechte Gunst erweisen*, und da sie bei dem Wort »Gott« das Blitzlicht traf, bildeten ihre Münder ein ebenmäßiges, dunkles Loch. Mehrmals war der Bürgermeister im Bild, seine treuherzige Rede ließ sich nicht ahnen, eindeutig war nur sein hochgerissener Arm, der anscheinend die Losung gab: »Also vorwärts, Grünau, zu neuen Ufern!« Bei einem Bild stutzte ich: Es zeigte einen der unseren im Tanz mit einem der fülligen Grünauer Mädchen, das Mädchen tanzte mit geschlossenen Augen, hingebungsvoll, während er eine Hand auf ihrem Nacken hielt, seine Hand dort tätig sein ließ, um den Verschluß einer schweren Bernsteinkette zu lösen, den Verschluß auch fast schon gelöst hatte. Ich winkte Hannes heran und deutete auf das Photo, Hannes schüttelte den Kopf und murmelte: »Nein, Professor, nein, das betrifft uns alle«, und mit einer heftigen Bewegung nahm er das Photo an sich und zerriß es.

An diesem sonnigen Vormittag horchten wir auf, schweres Motorengeräusch erfüllte Grünau, ich glaubte einmal mehr, das Ende unserer neuen unterhaltsamen Existenz sei gekommen. Vollbesetzte Busse kamen in die kleine Stadt, Busse aus Eckernförde, aus Kappeln und Gelting, alle trugen das Schild *Sonderfahrt.* Geheimnisvoll, als hätten sie sich hineingeschmuggelt, wuchsen im Nu Buden auf, Würstchenbuden, Eisbuden, Buden mit belegten Brötchen, alle wurden sogleich belagert von den gutgelaunten Insassen der Busse. Jetzt konnte man sehen, wie Bewegung entstand, von überall her lösten sich Gruppen und einzelne Zeitgenossen und strömten zum Zentrum von Grünau, zu einem gepflasterten Platz, auf den die Hauptstraße hinführte, die hier Kehrwiederstraße genannt wurde. Bald war die Straße gesäumt von erwartungsvollen Menschen. Ich stellte mich zwischen sie und erfuhr, daß gleich die Grünauer Mädchengarde vorbeimarschieren würde, ein beliebtes kleines Musikkorps, das schon mehrmals in Dänemark auftreten durfte, zusammen mit einem Patenkorps, von dem viel zu lernen war.

Diese Unruhe, diese hälsereckende Erwartung, als Flöte und Trommel ertönten, da mußte man einfach den Rhythmus aufnehmen und ihn auf der Stelle ausleben. Noch vor dem Tambourmajor ging ein Mädchen mit einer Fahne voran, bei aufkommendem Wind flatterte da eine Nelke und schien alle zu leiten und einzuschwören, die im Zug folgten, junge und sehr junge Mädchen, in kurzen roten Röckchen, mit halbhohen weißen Stiefeln. Mit Beifall antworteten die Zuschauer, als der Tambourmajor, ein langhaariges blondes Mädchen, den Stab in die Luft warf und lässig wieder auffing. Beifall, wenn auch schwächer, erhielt ebenfalls die Feuerwehrkapelle, ausnahmslos ältere, vertrauenswürdige Männer. Vergnügt trugen sie ihre Instrumente und winkten dann und wann Bekannten oder Verwandten zu, die sie in der Menge entdeckten. Wie einstudiert marschierten sie auf den Platz und nahmen Aufstellung neben der Mädchengarde. Man neckte einander, man verständigte sich zeichenhaft, sie fanden auf beiden Seiten Grund zum Gelächter; dann spielte die Feuerwehrkapelle das hier allen bekannte Lied *Grünau, du mein Grünau*, das, wie ich hörte, von dem Komponisten Johann Friedrich Pleiss stammte. Danach löste sich die ganze Veranstaltung auf, löste sich auf, doch verstreute sich nicht beliebig, sondern folgte einigen Männern, die zielbewußt zu einer Pappelallee marschierten, allen voran Hannes, unmittelbar gefolgt von Mumpert. Hannes führte.

Hannes hatte den Bürgermeister davon überzeugt, daß man an Grünaus großen Tagen auf ein Sporterlebnis nicht verzichten dürfe, er hatte vorgeschlagen, ein Fußballspiel stattfinden zu lassen, unter dem angemessenen Titel: »Kunst gegen Einheimische«. Der Bürgermeister, ein Anhänger des TuS Grünau von 1908, brauchte nicht lange überredet zu werden, er nahm den Vorschlag an und verkaufte ihn als eigene Idee. War das eine Partie!

Die Grünauer Spieler, im Sportdress, beim Auflaufen mit Jubel empfangen, gaben meinen Gefährten die Hand und liefen und sprangen sich warm; während die Partei der Kunst mit nacktem Oberkörper antrat, mit anstaltseigenen Schnürstiefeln, und, vermutlich auf das Geheiß von Hannes, gute Miene machte. Überrascht war ich, daß Hannes, der so viele Fäden zog, es fertiggebracht hatte, Mumpert als Schiedsrichter zu bestellen, ihn, der so manches Spiel zu eigenem Vorteil gepfiffen hatte. Es war ausgemacht, daß jede Partei drei Spieler auswechseln durfte, ich war einer von ihnen, der als Verteidiger vorgesehen war. Um die Arbeit von Mumpert, die er einst so einträglich vermittelte, näher kennenzulernen, behielt ich vor allem ihn im Auge; nicht ohne Bewunderung beobachtete ich, wie er vorwärts und rückwärts lief, immer in der Nähe des Balls, und wie er eine Ecke gab und einen Einwurf wiederholen ließ, einmal auch, ohne erkennbaren Grund, einen Strafstoß verhängte, selbstverständlich gegen die Kunst. In der zweiten Halbzeit, beim Stand von vier zu vier, schickte man mich aufs Feld, um, wie es begründet wurde, der Verteidigung ein Rückgrat einzuziehen. Ich blieb nur wenige Minuten im Spiel. Als ein Grünauer sich geschickt durchgespielt hatte und nah am Schuß war, blieb mir nichts anderes übrig: Ich ließ ein Bein stehen und trat noch einmal wirkungsvoll zu. Er flog so gekonnt hin, daß man seinen Sturz auch für eine Schwalbe hätte halten können, Mumpert sah in meiner kühnen Aktion ein grobes Foul und zeigte mir die rote Karte. Unter Johlen und

Pfiffen verließ ich den Platz, von meinen Gefährten tröstend empfangen; das Händeschütteln, das Schulterklopfen waren aufrichtig.

Es blieb beim vier zu vier, und nach dem Spiel lud uns die einheimische Mannschaft zu Bratwurst und Bier ein, wir saßen auf dem Rasen und diskutierten die einzelnen Phasen des Spiels, überwiegend kameradschaftlich, nur der Spieler, den ich am Torschuß gehindert hatte, hörte nicht auf, mich anzugreifen und zu beleidigen. Seinen Spielkameraden gelang es, ihn zu besänftigen.

Heimatmuseum

Die Eröffnung des Heimatmuseums fiel auf unseren zweiten Sonntagvormittag. Daß man diesem Ereignis mehr als örtliche Bedeutung zuerkannte, ließ sich wiederum an den Nummernschildern der Busse ablesen, die in PI, in IZ, und in SE gemeldet waren. Vor dem strohgedeckten, von Malven umstandenen Haus, das einst einem kinderreichen Großbauern gehört hatte, parkten die Busse. Die Fahrer empfanden es nicht als überflüssig, die Ankunft mit Hupzeichen zu melden. Wie vergnügt die Ankömmlinge da standen; als erwartete sie ein Erlebnis mit heiteren Überraschungen, so standen sie da. Ich trat zu ihnen, und als sie sich zum Eingang bewegten, ließ ich mich mitziehen.

In dem halbdunklen Raum, den wir zunächst betraten, erwartete Hannes die Besucher, er stand auf einer Holzkiste, trug Bastsandalen, über der Schulter ein sehr angegilbtes Schaffell; um die Balance zu halten, stützte er sich auf einen Wurfspeer.

Nie hätte ich ihm diesen Aufputz zugetraut, offenbar hielt er ihn für angemessen, oder für zünftig; jedenfalls glaubte er, die Besucher seines Heimatmuseums derart einstimmen zu müssen. Daß man sich über seine Erscheinung lustig machte, übersah er, sein Gesicht bewahrte einen Ausdruck von Würde, den ich noch nicht an ihm bemerkt hatte. Was er sich beigebracht hatte an Haltung, an Sprache, erstaunte mich, und als er, nachdem der Bürgermeister erschienen war, zu einer Begrüßungsrede fand, hätte wohl niemand angenommen, daß mein Gefährte sich hierher nur verirrt hatte. Hannes fielen Sätze ein, die Isolde Bromfeld, die an einem Fenster stand, selbstverständlich mitschrieb, und ich sah schon voraus, daß im hiesigen Tageblatt zu lesen sein würde, was Hannes über die Grünauer Dämmerzeit einfiel und über den Eifer der Gründungen und überhaupt zu den Niederungen des Lebens, als es galt, satt zu werden, warm zu werden und Freude zu finden an bescheidenen Dingen. Zum Schluß gebrauchte Hannes einen Satz, der Forderung und Versprechen enthielt: »Kommt her und laßt euch zeigen! So habt ihr gelebt.«

Nach seiner Rede erhielt Hannes einen kurzen, aber heftigen Beifall, und der Bürgermeister ging zu ihm, half ihm, von der Kiste herabzusprin- gen, und schüttelte lange seine Hand. Danach be- gannen die beiden, im Schlepp etliche besonders Interessierte, das Inventar des Museums in Augen- schein zu nehmen.

Geduldig schoben sich die Besucher von Raum zu Raum, beeindruckt von der bewegten Grünauer Vorzeit, keiner aber war wohl so beeindruckt wie ich. Ja, ich mußte Hannes bewundern für sein Ge- spür, alte Zeugen zu finden, zu versammeln, hier Werkzeug aus Flintstein, dort betagte Waffen oder Teile von ihnen, es war ihm gelungen, zu zeigen, wie sie einst webten und spannen und wie sie Schrank und Kinderwiege mit drallen Phantasie- blumen schmückten. Hannes ließ es sich nicht nehmen, verschiedene Ausstellungsstücke selbst zu erläutern; Gelächter dankte ihm, als er aus einer Wiege eine stämmige, pausbäckige Puppe hervor- holte, die er an armdicken blonden Zöpfen hoch- hielt und in ihr einen frühen Grünauer Schönheits- begriff erkannte. Dicht neben mir stehend, riskierte er halblaut eine Anzüglichkeit: »Nicht wahr, Profes- sor, so ähnlich kann man sich Hedwig als Kind vor- stellen.« Nach der unterhaltsamen Führung durch alle Räume wunderte es mich nicht, daß Hannes ein Angebot aus zwei Nachbarstädtchen erhielt;

auch dort wünschte man sich ein Heimatmuseum nach seinem Modell.

Im *Grünauer Tageblatt* griff Isolde Bromfeld am nächsten Tag kräftig in die Lobesharfe, sie scheute sich nicht, von »geglückter Spurensuche« zu sprechen, und forderte zu einem Besuch des Museums auf, bei dem man sich wie auf einer Heimkehr vorkomme, auf einer Heimkehr zu den Anfängen.

Mir blieb jetzt nichts anderes übrig, als Hannes zu seiner erfolgreichen Arbeit zu gratulieren; er nahm die Gratulation mit den Worten an: »Man tut, was man kann, Professor.« Am Abend, bei unserem gemeinsamen Gang zum Bus, wunderte ich mich nicht, daß Hannes von verschiedenen, meist älteren Grünauern respektvoll gegrüßt wurde.

An diesem Abend drohte unsere Grünauer Zeit ein unerwartetes Ende zu finden. Wir schliefen friedlich, Hannes mit seinem Kopf an meiner Schulter, als an die Scheibe des Busses geklopft wurde. Draußen stand Isolde Bromfeld; sie lachte, sie winkte mir. Meine ehemalige Studentin gab mir nicht die Hand; immerhin entschuldigte sie sich dafür, meinen Schlaf gestört zu haben. Wir gingen zu einer Bank am Seeufer, ich spürte, daß sie etwas preisgeben mußte, das sie bedrückte, spürte auch die Schwierigkeiten eines Anfangs. Sie bot mir eine Zigarette an. Sie deutete auf die Haubentaucher, die nah am Ufer auf Fischjagd gingen und sich beim Auftauchen mit einem knarrenden Laut begrüßten. Plötzlich sagte sie: »Ich weiß alles, alles über Sie und Ihre Kumpane.« Da sie es zunächst mit diesem Bekenntnis genug sein ließ, schwiegen wir eine Weile. Ich war nur mäßig überrascht; denn still für mich hatte ich vorausgesehen, daß mein Abschied von Isenbüttel auf die Dauer nicht unbemerkt bleiben konnte. Ich sagte: »Gut, gut, und wozu wollen Sie Ihr Wissen verwenden?« Sie hatte bereits darüber nachgedacht, denn sie sagte: »Was ich weiß, muß veröffentlicht werden!« »Alles«, fragte ich, »auch Ihre mißglückte Examensarbeit über den Sturm und Drang?« »Die Vorgeschichte dürfte wenig interessieren«, sagte sie, und ich darauf: »Das ist ein Irrtum, Fräulein Bromfeld, mir ist in langer Arbeit aufgegangen, daß uns erst die Vorgeschichte von etwas ein abschließendes und gewiß auch gerechtes Urteil erlaubt.« »Vielleicht haben Sie recht«, sagte sie und sah mich spöttisch an: »Es wird Sie nicht überraschen, daß ich jetzt an Anja und Kirsten denken muß, Sie brachten beide durchs Examen, mit höchstem Lob. Anja und Kirsten, mein Gott, wir waren Freunde, wir haben uns gemeinsam vorbereitet aufs Examen. Wenn Kirsten Sie erwähnte, sprach sie manchmal nur von Clemens. Das sagt Ihnen doch wohl genug.« Ihre Anspielung reichte mir. Ich stand auf, ich sagte: »Die Arbeit dieser beiden Kandidatinnen war mehr als ausreichend, sie verdiente das höchste Lob.« Isolde Bromfeld lächelte traurig. Sie stand ebenfalls auf, blickte eine Weile auf den See und sagte dann mit einer Entschiedenheit, die mich erstaunte: »Lassen wir doch das letzte Urteil dem Gericht, es ist gesprochen, Sie haben es angenommen.« Ohne sich noch einmal nach mir umzusehen, ging sie zu dem Pfad hinab, der zu einer Brücke und weiter am See entlangführte. Ich rief ihr nach, sie reagierte nicht. Kein Wort zum Abschied, kein Gruß.

Je länger wir den Bus der Landesbühne bewohnten, desto unruhiger wurden einige von uns – und zwar nicht zuletzt deshalb, weil sie dann und wann Grünauer Polizisten beobachteten, die mit berufsmäßigem Argwohn herumstrolchten und sich für alles zu interessieren schienen, selbst für leere Kartons und leere Flaschen. Bolzahn war es, der den Vorschlag machte, den Ort zu wechseln, einfach heimlich aufzubrechen mit unbekanntem Ziel. »Wenn wir nicht bald stiftengehen«, so erklärte er, »hat uns Isenbüttel wieder.« Die meisten meiner

Gefährten stimmten ihm zu, einige machten auch gleich neue Vorschläge, wohin die Reise gehen sollte, Lüneburg wurde dieses Mal genannt, ein, wie behauptet wurde, verheißungsvoller Ort namens Bargteheide, auch Bremen und Cuxhaven. Bolzahn verwarf alle Vorschläge, wie für Hannes schon einige Tage zuvor kam für ihn nur ein Ziel in Frage: das benachbarte Königreich Dänemark. Um seinen Vorschlag zu begründen, erwähnte er, daß er zweimal in Dänemark geheiratet hatte, in der kunstbeflissenen Stadt Odense, in der der Geist des unsterblichen Märchendichters Andersen spürbar sei. Sein Zutrauen verfestige sich noch, wenn er, wie Hannes, an die dortige Sozialgesetzgebung denke und besonders an die soziale Praxis für Künstler. Allein das Erscheinen eines Busses der Landesbühne werde für Aufmerksamkeit sorgen, die Zeichen der Sympathie würden nicht lange auf sich warten lassen. Wir brauchten nicht darüber abzustimmen, wohin unsere Fahrt gehen sollte: Hannes' und Bolzahns Vorschlag wurde angenommen.

Verhinderter Aufbruch

Nachdem der Entschluß einmal gefaßt war, begannen wir, uns für die Fahrt zu rüsten, Brot und Kuchen luden wir ein, kalte Frikadellen, Bananen, Dauerwurst und ein paar Flaschen mit Saft – ich staunte nur, was da zusammenkam, was sich in Grünau auftreiben ließ in kurzer Zeit. Die Abfahrt wurde festgesetzt auf eine Abendstunde. Hannes, der das Wort führte, warnte die Gefährten, die noch rasch Abschiedsbesuche machen wollten, pünktlich zur Abfahrt zu erscheinen, er hatte sich einen Kommandoton angewöhnt, Fragen beantwortete er nur mürrisch. Es wunderte mich, wie selbstverständlich seine Autorität anerkannt wurde.

Keiner der Gefährten fehlte, als wir am Abend in ein neues Leben aufbrachen. Schweigend brachen wir auf, es war bereits dunkel, langsam fuhr unser Bus den ansteigenden Weg vom See hinauf. Plötzlich stand da ein Mann im Licht der Scheinwerfer und forderte uns auf, zu halten. Pannwitz, der Vertreter des Bürgermeisters, schien uns erwartet zu haben, mit ausgestreckten Armen stand er da, offenbar nicht bereit, den Weg freizugeben, wir mußten halten. Er kam in den Bus und suchte sogleich Hannes und mich; er hatte eine Nachricht zu überbringen. Im Namen des Grünauer Stadtrates habe er uns einzuladen, in das Stadthaus, zum Höhepunkt des Nelkenfestes, bei dem nach alter Tradition Verdienste gewürdigt würden mit der Verleihung der Grünauer Nelke in drei Stufen, es erfülle ihn mit Freude, daß die Wahl auch auf einige Mitglieder der Landesbühne gefallen sei. Das Ereignis solle, ebenfalls nach alter Tradition, an einem Freitag stattfinden; der Stadtrat hoffe, daß das Engagement der Landesbühne Platz lasse für diesen Freitag.

Die Diskussion darüber, ob wir aufbrechen oder bleiben sollten, dauerte nicht lange. Hannes entschied, daß wir den Stadtrat nicht enttäuschen dürften, und so fuhren wir zurück zu unserem Platz am See, seltsamerweise ohne Bedenken, ohne Abschied zu nehmen von einem verheißungsvollen Plan. Wir machten ein Feuer, wir aßen von den Vorräten, die wir für die Reise angelegt hatten, einige von uns begannen zu singen. Vermutlich von unserem Gesang angezogen, erschienen zwei Grünauer Polizisten, alte Männer, in ihrem Dienst ergraut, wir luden sie ein, mit uns zu essen, und nachdem wir einander unser gegenseitiges Wohlwollen zu erkennen gegeben hatten, sangen wir gemeinsam, alte Volkslieder vor allem. Einer der Polizisten – ich sehe noch sein lederhäutiges Gesicht – setzte sich neben mich, und überraschend holte er einen Flachmann aus der Tasche und forderte mich auf, einen Schluck zu nehmen; dann nahm auch er einen Schluck von seiner Cola mit Rum und glaubte mir sagen zu müssen, daß mit unserem Erscheinen Grünau ein anderes Gesicht bekommen habe, es sei anziehender geworden, ich glaube, er sagte sogar, welthaltiger. Es stand mir nicht zu, ihm zu widersprechen – schließlich bekannte er, daß er mit Leib und Seele Grünauer sei. Er war nicht nur ein gewöhnlicher, dieser Polizist war ein berühmter Grünauer, der an seinem Revers eine Nelke in Silber trug. Bescheiden, in beiläufigem Ton erzählte er mir, daß er diese Auszeichnung vor langer Zeit erhalten hatte, für die Vereitelung eines Raubüberfalls auf die Sparkasse. Erst auf meine Nachfrage erzählte er, wie er die beiden Räuber, die sich in der Sparkasse bedienten, zur Aufgabe zwang und dazu, sich zu stellen.

Mit Hilfe eines amtlichen Lautsprechers forderte er sie auf, mit erhobenen Händen auf die Straße herauszukommen, dort warteten zwei Panzerwagen der Panzerlehrkompanie, die er alarmiert hatte, die Fahrzeuge seien gefechtsbereit. Rascher, als er selbst es erwartet hatte, ergaben sich die Gesetzesbrecher und ließen sich von ihm entwaffnen. Die Frau des Polizisten und er selbst achteten die Nelke in Silber so hoch wie das Bundesverdienstkreuz.

Vergoldeter Freitag

Das Stadthaus war überfüllt, selbst auf den Fensterbänken saßen Leute. Die Feuerwehrkapelle spielte zunächst *Durch die Wälder, durch die Auen*, danach *Grünau, du mein Grünau*. Die Einheimischen kannten den Text, sie sangen mit. Hannes und mir wurden Plätze in der ersten Reihe angewiesen. In den Gefährten, die neben uns plaziert worden waren, glaubte ich die Auserwählten zu erkennen, die gleich nun gewürdigt werden sollten; doch zwischen ihnen sah ich auch Prugel, den Intendanten der Landesbühne, und Karl Tauber, den Gefängnisdirektor von Isenbüttel.

Nach einem gemäßigten Trommelwirbel stieg Bürgermeister Uhlenkopp aufs Podium. Mit einem Lächeln, das Bedeutendes ankündigte, blickte er in die Runde und danach zu uns in der ersten Reihe hinab. Auf seine Anrede »Meine lieben Mitbürger« erhielt er schon den ersten Beifall. Den größten Beifall erhielt er für den Satz: »Auch in Grünau hat es einzelne gegeben, deren Taten allen zugute kamen; sie zu belohnen ist eine Form unseres Dankes.« Nachdem er seine Rede beendet hatte, stieg Pannwitz zu ihm aufs Podium, beidhändig trug er einen länglichen schwarzen Kasten, den er auf einem Tisch absetzte und ihn aufschlug, so daß wir die in Dreierreihe befestigten Nelken erkennen konnten. Der Vertreter des Bürgermeisters ließ sich von einem Mädchen im Trachtenlook eine Liste reichen, und auf ein Handzeichen des Bürgermeisters rief er den ersten Kandidaten auf. Es wunderte mich nicht, daß dieser Alexander Prugel hieß. Der Intendant der Landesbühne war überrascht oder spielte Überraschung, und während er zur Bühne hinaufstieg, wurde stichwortartig die Begründung verlesen: »Populäre Theatertruppe, Kulturereignis, Höhepunkt der Grünauer Festwoche, von der selbst die überregionale Presse Kenntnis genommen hat.« Als hätten sie es besprochen, reichte Pannwitz dem Bürgermeister eine metallene Nelke aus der obersten Reihe, und der befestigte sie, mit sichtbarer Mühe, am Revers des Intendanten, zog da eine Nadel durch, sicherte die Nadel, begutachtete den Sitz der Auszeichnung und entschloß sich zu einer Umarmung. Jetzt konnte man Pfiffe hören, auch einen einzelnen Bravoruf.

Nie hatte ich damit gerechnet, daß auch Mumpert ausgezeichnet werden sollte, der phantasievolle Schiedsrichter, der, als er aufgerufen wurde, winkend auf die Bühne ging und bei der Nennung seiner Verdienste heftig nickte, geradeso, als finde alles seine unbedingte Zustimmung. Ich konnte verstehen, daß der Bürgermeister die erfolgreiche Erneuerung des Turn- und Sportvereins Grünau besonders hervorhob; daß die Kapelle danach den *Radetzkymarsch* spielte, konnte ich nicht einsehen. Mumpert wurde mit der Nelke in Bronze ausgezeichnet, und mit Kußhänden, die er in die Menge warf, schien er anzudeuten, daß er mit dieser Stufe zufrieden war; desgleichen der Bauchredner Peter-Paul Zunz »für herausragenden künstlerischen Beitrag«. Hannes erhielt die Nelke in Silber. Ich hatte mich bereits damit abgefunden, leer auszugehen, als ich plötzlich meinen Namen und Titel hörte. Der Beifall, ich muß es zugeben, war nur dünn. Aufmunternd war der Rippenstoß, den ich vom Intendanten Prugel erhielt, als ich ihn beim Gang zur Bühne streifte. Der Bürgermeister blickte mich lange und versonnen an, bevor er mir eine Hand auf die Schulter legte und dann in einem Ton, der wie ein Angstruf klang, »Die Zukunft« sagte und das Wort gleich wiederholte. Er hatte also erkannt, daß auch Grünau für seine Zukunft sorgen müsse, und er ließ keinen Zweifel daran, daß es die Volkshochschule sei, die auf die wichtigsten Forderungen vorbereite. »Er hier« – und er zeigte auf mich – »hat uns die Augen dafür geöffnet, womit wir der Zukunft gewachsen sein können.« Einstimmig war beschlossen worden, mir die Nelke in Gold zu verleihen. Leicht fiel es dem Bürgermeister nicht, die Auszeichnung mit Nadel und Spange an meinem Revers zu befestigen, und nachdem es ihm gelungen war, sagte er: »So, das hätten wir.« Alle, die ausgezeichnet waren, wurden gebeten, sich in einer Reihe aufzustellen, und jetzt bewiesen die Grünauer, wohin sich ein Beifall steigern kann – fast begann abgestandenes Bier in den Gläsern zu schäumen. Insgesamt waren wir fünfzehn Nelkenträger in drei Stufen.

Es hätte mir zu denken geben sollen, daß Herr Tauber mitunter aus der Reihe trat und uns eigentümlich musterte, ich glaubte auf seinem Gesicht einen frohlockenden Ausdruck zu bemerken, ja ich glaubte sogar etwas Spöttisches zu entdecken, als er vor mir stehenblieb und mir zuzwinkerte. Zu den Klängen von *Auf Wiedersehn, bleib nicht zu lange fort* erschien das Mädchen im Trachtenlook und gab uns zu verstehen, ihr zu folgen. Sie führte uns von der Bühne fort in einen dämmerigen Seitengang, dann eine Treppe hinauf und schließlich auf den rückwärtigen Hof des Stadthauses. Das erste, was ich sah, war der Bus der Landesbühne, doch gleichzeitig sah ich mehrere Grünauer Polizisten, die vom Ausgang des Stadthauses bis zum Bus eine Art Spalier bildeten. Überrascht blieben wir stehen. Einer von uns, Peter-Paul Zunz, der uns in seiner Witterung offenbar voraus war, scherte aus der Reihe aus, durchbrach das Spalier, hatte bereits fast die Straße erreicht, als ein Polizist sich ihm entgegenstellte, seine Arme auf den Rücken zwang und ihn zum Bus führte und ihn dort einem Kollegen übergab. Der schubste den Bauchredner rabiat in den Bus. Bevor er auch mich hart anfaßte, zeigte ich auf meine goldene Nelke am Revers, in der Erwartung, daß diese Auszeichnung wenn auch nicht seinen Respekt hervorrief, so doch zu höflicher Umgangsform veranlaßte; dem Polizisten fiel nichts anderes ein, als mich höhnisch anzugrinsen und mit der Bemerkung »Ruhig, du Künstler« in den Bus zu stoßen. Zuletzt stiegen Herr Tauber und ein uniformierter Fahrer ein, der Fahrer trug eine Liste, er ging von Bank zu Bank, beugte sich zu den Insassen, befragte sie, offenbar verglich er da etwas mit den Eintragungen auf der Liste und legte dem Befragten mitunter eine Hand auf die Schulter, wie zum Dank. Schließlich gab er die Liste Herrn Tauber, der zufrieden nickte, das Mikrophon ergriff und sich an uns wandte: »Liebe Insassen!« Er sagte: »Gerechtigkeit hat ihren Preis«, und er sagte auch: »Es ist meine Pflicht, dafür zu sorgen, daß der Kreis sich schließt; ich bitte Sie um Ihre Einsicht.« Danach gab er dem Fahrer ein Zeichen, und der Bus fuhr an. Beim Anblick des Bürgermeisters, der die Abfahrt beobachtete, traute ich kaum meinen Augen; ungläubig sah ich zu, wie dieser Mann seinen Hut zog und winkte und da etwas zu rufen schien. Hannes stieß mich an und machte mich auf ihn aufmerksam: »Zu spät, Professor«, flüsterte er, »mir ist es wieder nicht gelungen, wir haben die beste Chance verpaßt.« Die Gefährten schwiegen, sie schwiegen während der ganzen Fahrt, je deutlicher es wurde, daß wir uns Isenbüttel und dem festen Haus näherten, desto ratloser wurden sie, ratloser, aber auch erregter; einige konnten kaum ruhig sitzen. Ich hatte Verständnis dafür, daß Hannes meine Hand nahm und sie drückte.

Solch ein Willkommen wurde gewiß noch keinem in Isenbüttel bereitet; nachdem der Bus am Wachhaus vorbei und durch das Tor gerollt war, ertönten Pfiffe und Rufe, Insassen, die von der Gartenarbeit zurückkehrten, betrommelten die Gießkannen, schlugen Harke und Spaten gegeneinander, von irgendwoher mischte sich eine Trillerpfeife in den Lärm, da wurde gejohlt und gehopst, und aus den vergitterten Fenstern wurde mit Wäschestücken gewinkt. Ein unbeteiligter Zuschauer hätte den Eindruck gewinnen können, hier würde die Heimkehr von Siegern gefeiert. Als wir ausstiegen, waren mehrere Polizisten bemüht, allzu ungestüme Begrüßungen zu verhindern.

Wir wurden in Gruppen eingeteilt, die Wärter riefen die zusammen, die ihnen vertraut waren und für die sie sich zuständig fühlten. Hannes stand neben mir, und er ging auch neben mir, als wir in unser Gebäude geführt wurden. In unserer alten Zelle blieben wir einen Augenblick regungslos stehen, geradeso, als müßten wir Luft holen. Hannes sprach als erster, er sagte: »Falls du es vergessen hast, Professor, ich bin Hannes.« Mehr sagte er nicht, setzte sich auf seine Pritsche und begrub seinen Kopf in den Armen; ein Abbild der Resignation. Von da an sprach er nur noch wenig, er zeigte Appetitlosigkeit, verzichtete auf seine Körperübungen. Mit meinem apathischen Zellengenossen durchlebte ich graue Tage; all meine Versuche, ihn aufzuheitern, überhaupt sein Interesse zu wecken für Isenbüttler Vorkommnisse, scheiterten.

Wenn er nicht auf seiner Pritsche saß oder lag, stand er lange am vergitterten Fenster und sah hinaus; fragte ich ihn manchmal, ob es da etwas Lohnendes zu sehen gab, antwortete er nicht. Unwillkürlich erschien er mir als ein Abbild des ewigen Gefangenen, gepeinigt von Verlangen, immer wieder überredet von aufflammenden Hoffnungen, die allerdings nur kurz dauerten. Hannes hatte sich offenbar aufgegeben, zumindest schien er sich abgefunden zu haben mit seiner Lage.

Sein Zustand wurde noch besorgniserregender, als das Unglück in unserer Nachbarzelle geschah, ein Unglück, das man eher wohl als persönliches Drama bezeichnen muß. Der schöne Bolzahn, den Hannes als seinen Freund bezeichnete, hatte sich erhängt. Es war ihm gelungen, seinen Kopfkissenbezug in Streifen zu zerschneiden, die Streifen zu verknoten und diese so am Fenstergitter zu befestigen, daß sie seinem Vorhaben dienlich waren. War das ein Tumult, als das Geschehene entdeckt wurde! Die Wärter liefen hin und her, mit und ohne Bahre, jeder befahl jedem, was er zu tun hätte, sie sperrten die Türen der Nachbarzellen auf, forschten, vergewisserten sich, nahmen jeden in Augenschein, fast hätten sie ihn betastet. Da sie in ihrer Geschäftigkeit unsere Tür nicht geschlossen hatten, gingen wir hinaus und linsten zunächst nur in die Nebenzelle, und als wir Bolzahn dort hängen sahen, während zwei Wärter bemüht waren, ihn loszuschneiden, gingen wir näher heran. »Schau dir den verzerrten Mund an«, sagte Hannes, »und da, diese Erektion, wie bei allen, die es so machen.« Ein Wärter schickte uns hinaus. Hannes legte sich auf seine Pritsche, das Gesicht der Wand zugekehrt, er zitterte, er schluchzte leise. Ich setzte mich zu ihm. Ich legte ihm eine Hand auf die Schulter. Mein Gefährte reagierte nicht.

Plötzlich aber richtete er sich auf; als vom Gang her eigenartige Geräusche zu hören waren – Klopfgeräusche, nicht vom Knöchel oder der Faust, sondern mit flacher Hand hervorgerufen –, richtete Hannes sich auf und trat an die Tür, lauschte einen Moment und begann dann, mit flacher Hand an die Tür zu schlagen. Auf meinen fragenden Blick hin murmelte er: »Bolzahn, Ferdi Bolzahn: Sie tragen ihn jetzt hinaus; dies ist unser letzter Gruß.« Seinen Rhythmus aufnehmend, schickte ich Bolzahn auch meinen Gruß hinterher, so lange, bis Hannes, mit Tränen in den Augen, seine Pritsche aufsuchte.

Die Belohnung

Herr Tauber hatte es abermals erreicht. Nach dem Mittagessen erschien er in unserem Speisesaal und wollte uns etwas Erfreuliches ankündigen. Dank alter Freundschaft und der von ihm gepflegten Verbindung hatte ihm die Direktion der Landesbühne, insbesondere ihr Intendant Prugel, von sich aus den Vorschlag gemacht, Isenbüttel zu besuchen, und zwar mit einer neuen Inszenierung des Stücks *Warten auf Godot.* »Ihnen steht ein großer Theaterabend bevor«, sagte er. »Was Sie erleben werden, ist ein Stück der Menschenliebe«, und er hob hervor, daß es hier um Herzenswärme in den Niederungen des Lebens geht. Er gebrauchte auch einen Satz, der von mir hätte stammen können: »Wer des Trostes bedarf – hier kann er getröstet werden.« Hannes brummte, er schüttelte den Kopf, er bedauerte, daß er nicht auf seiner Pritsche geblieben war. »Daß ich nicht lache, Professor«, flüsterte er, »›Herzenswärme‹, und dazu noch ›Menschenliebe‹: dafür brauchten sie nicht in Oberhausen zu werben, aber hier in Isenbüttel.« Ich fragte ihn, wie er auf Oberhausen käme, und Hannes, der alles wußte, wußte auch, daß die Landesbühne zu einem Theatertreffen in Oberhausen unterwegs war und, weil Isenbüttel am Weg lag, hier Station machen wollte.

Kaum war das Geschirr von den langen Tischen abgeräumt, da wurde auch schon die Bühne eingerichtet, eine schlichte, eine trostlose Bühne: Zuerst stellten zwei Schauspieler, die wie Landstreicher aussahen, eine Sperrholzwand auf, die eine mit breitem Pinsel hingemalte Landstraße zeigte, die anscheinend von nirgendwoher kam und auch nirgendwohin führte, danach trugen die beiden einen brusthohen Baum herein und stellten ihn an die Landstraße. Es war ein dürrer, seltsamer Baum, schon beim Anblick glaubte man den Wind zu hören, der durch ihn hindurchging. Hier wollten die beiden Landstreicher Wiedersehen feiern, hier warteten sie auf Godot. Hannes hörte ihrem Gespräch zunächst nur mit gemäßigtem Interesse zu, einmal hörte ich ihn seufzen, dann aber lachte er auf, und er schüttelte sich vor Lachen, als einer, der Estragon hieß, versuchte, seinen Schuh auszuziehen, mühsam, mit großer Kraftanstrengung, den Schuh schließlich auszog, ihn schüttelte, ihn untersuchte und beschloß, ihn eine Weile an der frischen Luft zu lassen. Plötzlich sagte Hannes: »Nein, nein, nein«, mit einer protestierenden Geste schien er Einspruch zu erheben gegen das, was die beiden Landstreicher erwogen; die Tragfähigkeit der Äste abschätzend, erwogen sie nämlich, sich aufzuhängen, nicht gleichzeitig, sondern nacheinander. Hannes stand auf. Er zitterte. Mit einer wischenden Bewegung über meinen Arm verabschiedete er sich von mir und zwängte sich durch unsere Reihe und ging zum Ausgang.

Je länger er fortblieb, desto unruhiger wurde ich, die Überlegung der beiden Landstreicher, sich an dem dürren Baum aufzuhängen, schien ihn tief getroffen zu haben, und ich schloß nicht aus, daß er sich zu einer Handlung hinreißen ließ, die tragisch enden konnte. Ich suchte und suchte, und als ich bereits glaubte, daß meine Befürchtung recht behalten würde, entdeckte ich Hannes im Sanitätsraum. Er saß neben einem Gefährten, der sich offenbar bei der Gartenarbeit verletzt hatte. Aus einem Becher, den er mit beiden Händen hielt, trank Hannes in kleinen Schlucken, sein Gesicht war schweißbedeckt. Bevor ich ihn fragte, was ihm zugestoßen sei, wollte er wissen, ob das Stück aus sei, und als ich den Kopf schüttelte, sagte er: »Du wirst es nicht glauben, Professor, ich dachte, ich spiel da mit, ich fühlte mich mittendrin. Der Mann, der das geschrieben hat, wußte alles über mich, und wußte, was warten heißt, warten ohne Hoffnung.« »Aber es geschieht auch etwas«, sagte ich, »über Nacht bekommt der Baum plötzlich Blätter; inmitten des Elends, der Trauer, ist das mehr als ein Zeichen, es wird da gesagt: Erwartung hört nicht auf.« »Ach, Professor«, sagte Hannes, »etwas bleibt, und das ist die Traurigkeit. Ich mußte an meinen Freund denken, an Ferdi Bolzahn.« Die Trauer ist die innigste Verbindung mit einem Menschen, die gemeinsame Trauer. In sich versunken saß er eine Weile da, unvermutet stand er auf, lächelte mich an und sagte: »Komm, Professor, bring mich zurück, vielleicht gibt's noch etwas zu erleben, etwas Tröstliches zum Schluß.« Ich spürte, daß ich meinem Gefährten diesen Gefallen tun mußte.

Wir gingen in den Speisesaal zurück, erstaunt gemustert von den Zuschauern in unserer Reihe, manche machten uns nur unwillig Platz.

Auf der Bühne schien sich nichts Besonderes ereignet zu haben, das zumindest dachte ich im ersten Augenblick, bald aber mußte ich einsehen, daß die gleichbleibende, die unaufhebbare Verzweiflung das Besondere war. Die beiden Landstreicher, die immer noch auf Godot warteten – auf jenen fernen Godot, von dem sie sich sogar Rettung versprachen –, erwogen abermals, sich aufzuhängen. Der Strick, der die Hose hielt, bot sich an, doch sie stellten fest, daß auf ihn kein Verlaß war. Sie wollten wiederkommen, am nächsten Tag, mit einem besseren Strick. Hannes seufzte auf, und als die beiden Landstreicher beschlossen, zu gehen, und doch nur stehenblieben, griff er nach meiner Hand und preßte sie und führte sie an seine Brust. Ich sagte: »Die kommen nicht los voneinander.« Hannes sagte: »Die Traurigen müssen zusammenbleiben, sie sind füreinander bestimmt.« Während die beiden gehen wollten und es nicht konnten, festgehalten von schicksalhaftem Band, klatschten die Zuschauer, es war zunächst nur ein sparsamer Beifall, der aber steigerte sich, als Hannes sich überraschend erhob und auf die Bühne stieg. Es war nicht gleich erkennbar, was er vorhatte. Verblüfft sahen wir zu, wie er sich vor den beiden Schauspielern verbeugte, dann auf einen von ihnen – es war wohl Wladimir – zutrat, ohne Mühe die silberne Nelke aus seinem Jackenaufschlag löste und sie ihm mit unverständlichen Worten anheftete. Die Zuschauer sprangen auf, einige pfiffen, andere riefen und trampelten und klatschten, Herr Prugel, der Intendant der Landesbühne, empfand diese Anerkennung wohl nicht als angemessen, er ließ sich mit mehreren Bravorufen hören, und als erschiene ihm auch dies nicht als ausreichend, stieg er auf die Bühne. Daran gewöhnt, daß man bei bestimmten Gelegenheiten ein Wort von ihm erwartete, wandte er sich an die Zuschauer und sagte: »Es war uns eine Freude, vor Ihnen zu spielen, wir kommen wieder.«

Blätter

Hannes war schon in unserer Zelle. Er lag auf seiner Pritsche und schlief, oder er tat so, als schliefe er, ich konnte ihm ansehen, daß er lauschte und wartete, auf etwas, das nur er allein wußte und womit er mich offenbar überraschen wollte. Die Überraschung gelang ihm. Was ich sah, ließ mir nur übrig, nein zu sagen, nein, Hannes, nein. Neben unserem Schrank stand der Baum, der dürre Baum, unter dem die Landstreicher ihr Wiedersehen feierten, aus der Nähe erkannte ich, daß einige Äste angeschraubt und daß einige Knickungen mit schwarzen Klebestreifen gesichert und verstärkt waren. Hannes fuhr auf, er lachte, er weidete sich an meiner Sprachlosigkeit und an meiner unwillkürlichen Befürchtung angesichts möglicher Folgen. Bevor ich aber meine Befürchtung wiederholte, gestand ich Hannes meine Bewunderung für die Dekoration unserer Zelle, worauf er nur müde abwinkte. Die Idee, den Baum auf die Seite zu schaffen, sei ihm plötzlich gekommen, als er mithalf, die Requisiten der Landesbühne zu verstauen. Er habe den Baum einfach weggetragen, daran habe ihn keiner gehindert; schwierig sei es nur gewesen, den Baum in die Zelle zu bringen, doch Kuglinski, sein Lieblingswärter, ließ wie immer mit sich reden. Selbstverständlich habe er ihm etwas zugeschoben, was dem Vater von sechs Kindern bestimmt gelegen gekommen sei. Hannes wußte alles, sein Wissen diente ihm.

Er konnte auf einem Stuhl sitzen und den Baum anstarren, in sich versunken, mit verlorenem Blick. Es blieb mir nicht verborgen, daß ihn etwas bewegte oder bedrückte, doch er ließ sich Zeit, es mir zu erzählen – obwohl es eine Erfahrung der Zelle ist, bereits aus Gründen der Erleichterung oder aus Selbstbewußtsein zu erzählen, über sich selbst und über die, deren Leben in das eigene hereinragte.

Aber einmal, in der Dämmerung, vertraute er mir an, daß unser Zusammensein wohl nicht mehr lange dauern werde. »Es tut mir leid, Professor«, sagte er, »aber unsere Tage sind gezählt«, und als wollte er mich im voraus trösten, erwähnte er, wieviel ihm unsere Kameradschaft bedeute und in der Erinnerung bedeuten werde. »Einen Kumpel wie dich kann man nicht vergessen.« Noch in mein Erstaunen hinein bot er mir an, etwas für mich zu tun, einen Auftrag zu übernehmen, eines meiner Versäumnisse gutzumachen, überhaupt, in meinem Namen ausgleichend tätig zu sein. »Vielleicht ist ja etwas liegengeblieben, was dir am Herzen liegt – draußen.« Und dann senkte er seine Stimme und weihte mich in den Plan ein, den er und zwei Gefährten, unter ihnen Mumpert, festgelegt hatten: Während der Gartenarbeit wollten sie sich verabschieden, gegen Feierabend, wenn die Wärter müde geworden waren, sein Schwager, der einen Eiltransporter laufen hatte, sei eingeweiht und werde hinter den Außentoiletten warten, bei einer Baustelle. »Die Gartenarbeit allein bietet uns eine Chance, Professor, die beste Chance, die einer hier finden kann.« Auf seine vergangenen Fluchtversuche anspielend, sagte er sogar schmunzelnd: »Du siehst, Professor, ich kann es nicht lassen; es wird wohl das letzte Mal sein.« Sein Entschluß schien festzustehen.

Aber dann schloß Kuglinski auf und brachte ihm eine Plastiktüte. »Für dich«, sagte er zu Hannes, und als mein Zellenbruder ihn verwundert anschaute – zögernd und verwundert –, ergänzte er: »Einer der Spaßmacher von der Landesbühne schickt es, er meinte, du hast es vergessen.« Hannes befühlte die Tüte, schüttelte sie ein wenig, dann trat er an den Tisch und kippte den Inhalt aus. Zu unserer Verblüffung segelten Blätter raus, gepreßte, halbtrockene Blätter, einige waren gelöchert, an anderen war eine Klammerspange befestigt oder eine Schleife, geradeso, als seien die Blätter dazu vorbereitet, irgendwo angeheftet zu werden. »Da«, sagte Hannes, »die gehören an den Baum, bei Gelegenheit zu verwenden, oder nach Jahreszeit.« »Dann versuchen wir's gleich«, sagte ich. Wir nahmen die Blätter und brachten den Baum zum Leben, einen seltsamen Baum, der mehreres zugleich sein wollte, Kastanie und Linde und sogar Akazie; was uns in die Hand kam, befestigten wir an den dürren Zweigen. Es machte uns Freude, und wir gingen um den Baum herum und stellten uns vor, wie überrascht Leute sein müßten, die unsere Zelle betraten. »Ein botanisches Wunder«, sagte ich, und zu meiner Verwunderung ergänzte Hannes: »Der Ur- oder Mutterbaum, von dem alle anderen Bäume abstammen.« Jeden Morgen machten wir vor dem Baum unsere Körperübungen, Liegestütze, Schulterlockerungen, Laufen auf der Stelle, ein unerwartetes, ein merkwürdiges Gefühl überkam mich, ich glaubte, daß ich dem Ort nicht mehr so wehrlos ausgeliefert war, dem Ort nicht und nicht der Zeit. Einmal stellte er den Baum vor das geöffnete Fenster, Wind kam auf, der die Blätter in sanfte Bewegung brachte. Unwillkürlich mußte ich an die beiden Landstreicher denken, die sich gegenseitig darauf aufmerksam machten, daß Blätter auch sprechen, flüsternd, murmelnd, rauschend, einer der Landstreicher wollte wissen, daß Blätter vom Leben sprechen.

Mehrere Hupsignale riefen uns ans Fenster, unten auf dem Hof stand der Bus der Landesbühne, stand dort wie einst; unter den wenigen Schauspielern, die ausstiegen, erkannte ich sogleich den, der den Wladimir gegeben hatte. Auch Hannes erkannte ihn: »Schau mal, Professor, das ist Wladimir.«

Dieser Wladimir hob den Blick, suchte die Fenster ab, erkannte uns und wohl auch die Spitze des Baums, er beachtete nicht den Versuch seiner Kollegen, ein Transparent zu entrollen und es am Heck des Busses zu befestigen. Er stand nur und schien sich zu vergewissern, daß auch er gesehen wurde dort unten, und als er dessen sicher zu sein glaubte, machte er uns mit seinen Empfindungen oder Gedanken oder Anregungen bekannt. Es gab keinen Zweifel: was er vorführte, war an Hannes und an mich adressiert; auf der Stelle tretend, spielte er uns einen Vogel beim Flugversuch vor, langsam, wie probeweise, breitete er seine Arme aus, schlug kurz und heftig, riskierte ein, zwei Hopser – geradeso, als wollte er Luft unter die Schwingen bekommen. »Schau dir nur den Spaßmacher an, Professor, der hat wirklich eine Macke.« »Vielleicht will er uns etwas vormachen«, sagte ich. Amüsiert sahen wir eine Weile diesen kuriosen Flugversuchen zu, dann überraschte uns Wladimir mit einem neuen Einfall. Gegen den Bus gelehnt, band er den Riemen ab, der seine Hose hielt, zog ihn aus, um die Länge zu demonstrieren, und begann dann, ihn propellerartig kreisen zu lassen. Als es ihm genug schien, ließ er den Riemen von seiner Schulter herabhängen und winkte zu uns herauf. »Er grüßt uns«, sagte Hannes. »Wenn ich mich nicht irre, will er uns auch etwas sagen.«

An diesem Tag bekam ich den einzigen Besuch. Ich wußte nicht, daß es ein offizieller Besuchstag war, und ich war erstaunt, als Kuglinski aufschloß und zu mir sagte: »Du, Besuch.« Als ich ihn im Türrahmen streifte, wiegte er den Kopf und schnalzte einmal mit der Zunge; da wußte ich schon, daß es kein gewöhnlicher Besuch war. Er führte mich zu dem karg möblierten Besucherraum, aus dem ich bereits bei der Annäherung Stimmen hörte, auch eine mir bekannte Stimme. Nie hätte ich geahnt, wer mich dort erwartete. Bei meinem Eintritt erhoben sich vier Mädchen, die auf ein Handzeichen ein Lied anstimmten; sie sangen fröhlich *Oh, when the Saints* und strahlten mich an. Anja war da und Kirsten und die schöne Brigitte, die alle mit Auszeichnung bestanden hatten, aber zu meiner Verwunderung sah ich auch Isolde Bromfeld wieder, die sich bei Anja und Kirsten eingehakt hatte. Ich war so überrascht und erfreut, daß ich nicht mehr sagen konnte als: »Meine Damen, welch ein phantasievolles Wiedersehen!«

Zuerst stürmte Brigitte auf mich zu, dann Kirsten, sie umarmten mich, streiften einen schnellen Kuß an meiner Wange ab; als auch Isolde Bromfeld ihre Arme öffnete, sagte Kuglinski: »Keine Berührungen, bitte, keine Berührungen.« Der Wärter stand am Fenster, das auch im Besucherraum vergittert war. Auch wenn er sich keine unserer Bewegungen und Worte entgehen ließ, war ihm anzumerken, daß er seine Anwesenheit gern verkürzt hätte.

Die pummelige Anja sprach für alle. Sie nannte mich »lieber, verehrter Herr Professor« und glaubte mir auch im Namen ihrer Kommilitoninnen versichern zu müssen, daß sie es als Glücksfall betrachteten, mich als akademischen Lehrer zu haben.

Ich bewunderte meine ehemaligen Kandidatinnen, ich mußte annehmen, daß sie meinen Fall diskutiert und sich verabredet hatten – vielleicht in einem Café oder in Brigittes erstaunlich großzügigem Gartenzimmer –, mich hier im festen Haus zu besuchen, ich stellte mir vor, daß sie einander nicht ansehen konnten, ohne daran zu denken, daß das Erlebnis, das sie mit mir teilten, auch von dieser anderen geteilt wurde. Als Anja feststellte: »Für uns, lieber Clemens, bist du unschuldig, vollkommen unschuldig«, fand sie heftige Zustimmung.

Wie auf Stichwort stellte Kirsten eine Segeltuchtasche auf den Tisch und begann, den Inhalt auszupacken, Plastikgeschirr, Tassen, Teller, Löffel, fünf Plastikmesser, schließlich hob sie eine kleine Thermoskanne heraus. Dann zog sie das Deckpapier von einem tellerförmigen Kuchen ab, und ich bemerkte gleich, daß es ein Mohnkuchen war, mein Lieblingskuchen. Der Wärter betrachtete die Mitbringsel mit erhöhter Aufmerksamkeit; Kirsten beschwichtigte ihn: »Es ist uns erlaubt worden«, und an mich gewandt erinnerte sie daran, daß ich in einem Seminar auf eine Bitte hin meine Lieblingsgedichte behandelt hatte, in dem Band *Mohn und*

Gedächtnis. Angeblich soll ich erklärt haben, daß das Gedächtnis im Mohn schläft oder sich ausruht, aber verläßlich tätig ist, wenn es wieder gefordert wird. Wir setzten uns an den Tisch, Kirsten schnitt jedem ein Stück Kuchen ab, wir aßen schweigend, und ich hatte das Gefühl, daß wir bei allem Genuß unser Gedächtnis feierten. Anja bot auch dem Wärter ein Stück Kuchen an, doch der lehnte ab, bedauernd immerhin.

Schon beim ersten Schluck spürte ich, daß der Kaffee kein gewöhnlicher Kaffee war, der Aquavit, der ihm beigegeben war, triumphierte mit seiner heißen Schärfe und zog die Lippen zusammen – die Mädchen zwinkerten einander zu, sie warteten wohl auf ein Wort von mir, auf einen Überraschungslaut. Ich sagte: »An der Küste nennt man das wohl Pharisäer, man kann sich bedenkenlos damit zuprosten, Gründe gibt es ja immer, meine Damen.« Die schöne Brigitte schenkte allen nach, dann sagte sie in formellem Ton: »Auch wir haben einen Grund, hier zu sein, verehrter Herr Professor, es liegt uns daran, Ihnen zu danken, und nicht nur zu danken, sondern auch Ihre Erlaubnis einzuholen. Jetzt, da Ihnen solche Ungerechtigkeit geschehen ist, haben wir beschlossen, Ihnen zu Ehren einen Club zu gründen, Sie können ihn auch Fanclub nennen. Er soll den Namen einer geistesgeschichtlichen Epoche haben, für die du, Clemens, uns die Augen geöffnet hast: ›Club Sturm und Drang‹. Wir würden uns freuen, wenn Sie uns Ihre Zustimmung geben könnten.« Ich war so verblüfft, daß ich nach einigem Bedenken nicht mehr sagen konnte als: »Keine Einwände, meine Damen.« Da alle ihre Tassen gegen mich hoben, trank ich mit und hatte danach Mühe, mich gegen die Umarmungen zu wehren und gegen ein paar ungestüme und auch ungenaue Dankesküsse. Diesmal verzichtete der Wärter darauf, Berührungen zu untersagen, er sah lediglich interessiert zu, was in dem Besucherraum geschah. Erst als Isolde Bromfeld meinen Nacken umklammerte und meinen Kopf an ihre Brust zog, äußerte er ein bedenkliches »Na, na, na«. Diese Geste hätte ich Isolde nicht zugetraut. Und ich betrachtete es auch als ein Friedenszeichen, als sie vorschlug, das wahre Gründungsfest später zu feiern, vielleicht, wenn ich als Freigänger unter ihnen sein könnte.

Was den Wärter veranlaßte, das Ende der Besuchszeit festzustellen, war nicht ersichtlich, jedenfalls sagte er plötzlich: »Ende der Besuchszeit«, und meine Besucher folgten seiner Aufforderung, wobei einige beim Abschied nicht versäumten, mir tröstende Worte zuzuflüstern, zutrauliche Worte. Ich stellte mich ans Fenster, um ihnen nachzublicken. Auf dem Hof stand der Bus der Landesbühne, abfahrbereit, wie es schien, Anja wandte sich an den Fahrer, machte ihn auf ihre Kommilitoninnen aufmerksam, handelte da etwas aus, ich sah, daß er einverständig nickte und die Bustür öffnete. Die Mädchen stiegen ein. Das Transparent am Heck des Busses versprach etwas, das mich glücklich machte: *Auf Wiedersehen im Theater.*

Ratsuche

An einem Morgen kam Kuglinski in unsere Zelle, er verzichtete auf einen Gruß, wandte sich gleich an mich und sagte nur: »Du, komm mit, und zieh deine Jacke an.« Ich fragte nicht, wohin er mich bringen wollte, der Ausdruck seines Gesichts verriet, daß mir etwas Wichtiges bevorstand; wie er wartend dastand, gab er mir zu verstehen, daß Eile geboten sei. Der Wärter ließ mich vorausgehen, die Treppen hinab, über den Gefängnishof und zu dem kleinsten Gebäude, in dem das Büro war. Er brachte mich nicht ins Büro, wie ich zunächst angenommen hatte. Über dem Büro lag die Dienstwohnung von Direktor Tauber, dorthin brachte er mich und klopfte nur ein einziges Mal. Herr Tauber öffnete selbst, mit einer knappen Handbewegung verabschiedete er den Wärter und bat mich freundlich, einzutreten. Er bat mich in eine Wohnung, die nicht gerade zum Bleiben einlud; um einen Rundtisch standen drei Stühle, die mit ihrer steifen

Lehne – so kam es mir zumindest vor – zu einer besonderen Art des Dasitzens verpflichteten, auf einer erstaunlich schmalen Couch lag ein graues Kissen, dem sogenannte Hasenohren eingedrückt waren, auf dem Fensterbrett sonnte sich eine sanft vor sich hin welkende Geranie. Von den Wänden grüßte eine seltsame Galerie von Stichen und Photos, da zeigten sich Fontane und Döblin zwischen klassischen Militäruniformen, in der Nachbarschaft von Husaren und Dragonern zeigte sich das Bild eines üppig belaubten Baums, unter dem gut lesbar stand: *Gerichtslinde.* Herr Tauber fand offenbar Gefallen an dem Interesse, das ich seinem Zimmerschmuck widmete, er ließ mir Zeit, alles zu betrachten. Nachdem er mir einen Platz angeboten hatte, verzichtete er auf jede erwartete Förmlichkeit, er gab gleich zu erkennen, daß der Grund, aus dem er mich hatte rufen lassen, privater Natur sei – er sagte sogar »höchst privater Natur« –, und fügte hinzu, daß das Gespräch, zu dem er mich gebeten habe, vertraulich sei und vertraulich bleiben müsse, sein ungewöhnlicher Charakter werde schon durch den Ort bezeichnet, an dem es stattfinde; daß er sich überhaupt dazu entschlossen habe, erklärte er damit, daß er in mir einen »Mann des Wortes« sehe. Nach solch einer Einleitung konnte ich nichts Angenehmes erwarten. Herr Tauber holte weit aus: er hatte da einen Bekannten im Landeskultusministerium, der sich ihm schon etliche Male als hilfreich gezeigt habe, man treffe sich fast regelmäßig zu einem sogenannten Herrenabend, immer an einem Montag. Kürzlich hatte die Runde einen Gast eingeladen, einen Verlagslektor, einen quirligen Mann. Herr Tauber konnte sich noch an den Namen des Lektors erinnern, den er bedächtig aussprach: Nikoleisen. Dieser Nikoleisen hatte ihn plötzlich gefragt, ob er nicht schon mal daran gedacht habe, seine Memoiren zu schreiben, und er will ihm vorgestellt haben, welche Schicksalsfülle sich da anböte, wie viele erzählenswerte Erlebnisse und Erfahrungen ihm zur Verfügung stünden; dies alles dürfe einfach nicht verlorengehen. »Haben Sie sein Angebot angenommen?« fragte ich, und er darauf: »Nicht gleich, doch je länger ich darüber nachdenke, desto mehr scheint es mir einen Versuch wert zu sein, nicht zuletzt, weil der traditionsreiche Verlag Hoffmann und Breitner dahinterstehen würde.« »Memoiren«, fragte ich. »Jedenfalls das, was man darunter versteht«, sagte er, »eine Lebensspur mit allem, was sich am Wege zeigt. Die Frage ist nur, wie weit darf man gehen. Wie unbedingt muß man sich daran halten, was einem das Dokumentarische nahelegt, ich denke an Namen, an Orte, es gibt da doch gewisse Rechte, Eigentumsrechte.« Es gelang mir, seine Bedenken zu zerstreuen, ihn zumindest nachdenklich zu machen. Ich behauptete, daß in fast allen mir bekannten Memoiren ein Element der Erfindung nachweisbar sei; ein nacherzähltes Leben werde zwar durch das Dokument abgesteckt, aber in jedem Leben gibt es unsichere Zwischenräume, schwebende Zustände, deren Bedeutung zum Vorschein kommt durch Erfindung. Schließlich erlaubte ich mir den Satz: »Manchmal kann die Wahrheit nur erfunden werden.« Er sah mich verblüfft an. Er biß sich auf die Lippen. Mühsam stand er auf und sagte nur: »Ich danke Ihnen, Professor, der Wärter wird Sie rüberbringen.«

Unten auf dem Gefängnishof begegneten wir einem Mann, der uns mit übertriebener Ehrerbietung grüßte. Er trug eine Art Tornister und war offenbar zu den Gärten unterwegs. Während ich noch über seinen sonderbaren Gruß lächelte, sagte Kuglinski: »Das ist der Maler, alle hier nennen ihn so. Früher war er auch mal Schauspieler.« »Ist er wirklich Maler?« fragte ich. »Du wirst nicht glauben, welch einen Erfolg der hatte; es wird erzählt, daß seine Bilder in Florenz hängen, in Baden-Baden, selbst in Montevideo, die halbe Welt ist auf ihn reingefallen.« »Reingefallen?« »Es wird erzählt, daß er die großen Maler kopiert hat, besonders die Franzosen, unter allen Fälschern soll er der beste gewesen sein, der beste und der teuerste.« Und nach einer Weile bereitete der Wärter mich darauf vor, daß dieser Maler mich eines Tages ansprechen und mir vorschlagen werde, ihm für ein Porträt zu sitzen, er habe schon etliche Porträts geliefert. »Falls er das tut, mußt du den Preis vorher abmachen.« »Und Herr Tauber«, fragte ich, »erlaubt der diese Tätigkeit?« »Bisher hatte der Chef nichts dagegen«, sagte der Wärter, »einmal, beim Betrachten eines Porträts, sagte er sogar: ›Gut, sehr gut, kann man auch für Fahndungszwecke gebrauchen, gegebenenfalls.‹ Ich war zufällig dabei, als er das sagte.«

Wir waren schon vor meiner Zelle, da wollte er noch wissen, ob zwei der Mädchen im Besucherraum Verwandte von mir seien, er glaubte Ähnlichkeiten bemerkt zu haben, und um seinen Eindruck zu bestätigen, antwortete ich: »In gewisser Weise schon, Verwandte im Geiste.« Dabei hatte ich das Gefühl, nicht einmal gelogen zu haben. Er nickte und schloß mich ein zu meinem Zellenbruder.

Hannes schlief wie so oft; ich wollte ihn nicht wecken. Auf dem Tisch lagen Papier und Bleistift, es war ein ungeschriebener Brief, der nichts anderes enthielt als die Anrede. »Lieber Professor«, stand da, und darunter, mit erkennbarer Entschiedenheit: »Lieber Kamerad Clemens«. Das war schon alles, kein Wort über das, was ihn bewegte oder was ihm am Herzen lag. Ich stellte mir vor, was ihn daran gehindert haben mochte, sich auszusprechen: war es ein Dank für die Zeit der Gemeinsamkeit oder ein früher Abschiedsgruß oder vielleicht eine Verabredung für künftige Tage? Ich beugte mich über sein Gesicht, als ließe sich aus ihm erforschen, was er mir hatte schreiben und mit auf den Weg geben wollen. Ich fragte mich auch, ob er mir erzählen wollte, was ich noch nicht wußte, oft genug ist mir hier Erzählen wie ein Trost vorgekommen, mitunter wie ein Geschenk. Was er mir schreiben wollte, habe ich nie erfahren.

Der Verzicht

Es war ein Sonnabend, für den sie sich verabredet hatten, Isenbüttel während der Gartenarbeit zu verlassen; doch fest verabredet war er nicht, sie wollten es von der Gegenwart gewisser Wärter abhängig machen. Meine Unruhe wuchs. Alleweil erwartete ich das Getrappel von Schritten, das hastige Öffnen und Schließen von Türen, erwartete Zurufe und Flüche. Es blieb still. Ich setzte mich an mein Tagebuch. Ich dachte an mein Gespräch mit Tauber, jetzt zweifelte ich nicht daran, daß er die Einladung, seine Memoiren zu schreiben, angenommen hatte. Was sollte ich tun, wenn er auch meinen Fall darstellen oder verwerten würde, vielleicht in gutem Glauben, daß er von allgemeinem Interesse sei? Auf die naheliegende Frage, wer denn das allgemeine Interesse definiert, wußte ich in diesem Augenblick keine Antwort, und ich war mir nicht sicher, ob es überhaupt ein unbegrenztes Persönlichkeitsrecht geben kann.

Auf einmal hörte ich Schritte, die näher kamen, sie hielten vor meiner Tür, ein Schlüssel fuhr ins Schloß, nicht stochernd, nicht zögernd, sondern kurz und entschieden, und dann stand Hannes vor mir. Er blieb regungslos stehen, bis sich die Tür hinter ihm geschlossen hatte. Er musterte mich, prüfend, abwägend, geradeso, als suchte er nach einer Bestätigung für etwas, das ihn beschäftigte und das ihn hatte handeln lassen. Auf Kuglinskis Kommando »Los, geh schon!« kam er in die Zelle und ließ sich auf seine Pritsche fallen und hörte nicht auf, mich fortwährend anzuschauen. »Was ist geschehen, Hannes«, fragte ich, »ihr seid nicht weg?« Er ließ sich Zeit mit seiner Antwort, dann aber sagte er leise: »Die anderen, sie sind weg, in einem günstigen Augenblick, es sieht so aus, daß sie besser durchkamen, als ich damals durchkam.« »Und du?« »Ich hab's mir anders überlegt«, sagte er. Als wollte er nicht gleich über seine Gründe sprechen, erinnerte er mich daran, daß ich die Hälfte meiner Zeit in Isenbüttel abgesessen hatte, und daß er, wenn nichts dazwischenkäme, etwa die gleiche Zeit noch vor sich habe wie ich. Ich fragte noch einmal: »Und du? Warum bist du geblieben?« »Damit du es weißt, Clemens, ich wollte dich nicht allein lassen.« Mehr sagte er zunächst nicht. Zum ersten

Mal hatte er mich bei meinem Vornamen genannt; unwillkürlich streckte ich ihm meine Hand hin, er schien sie zu übersehen. »Ich wollte dich nicht allein lassen, Clemens.« Er drehte uns zwei Zigaretten, steckte beide an und gab mir eine. Während wir rauchten, sagte er vor sich hin: »So manches Mal habe ich gedacht: ›Aushalten‹, jeder muß irgend etwas aushalten, ertragen, das, was er weiß, was ihm zugestoßen ist, was ihm berichtet wurde, manchmal muß er auch den anderen aushalten. Mit dir ist es leichter, alles hier.« Ich wollte ihm danken, wollte ihm etwas zurückgeben von dem Zutrauen und der Wertschätzung, doch ich kam nicht dazu, denn plötzlich hörten wir das Schlüsselbund von Kuglinski, die Tür wurde geöffnet, und unser Wärter kam herein. Er sagte kein einziges Wort, skeptisch betrachtete er uns, aus einer Nähe, die sein Mißtrauen ahnen ließ – nach einem schnellen Blick durchs Fenster verschwand er wieder. »Da hat sich wohl etwas herumgesprochen«, sagte Hannes, und ironisch fügte er hinzu: »Uns jedenfalls hat er wiedererkannt.«

Ich bat ihn um sein Einverständnis, das Fenster zu öffnen, er stimmte mir mit einem Handzeichen zu. Ein leichter Wind ging draußen, brachte kühle Abendluft herein und bewirkte, daß sich die

Blätter an unserem Baum bewegten, sanft pendelten, sich drehten. Hannes schob den kleinen Rundtisch näher an den Baum heran, dann bat er mich, Platz zu nehmen, und setzte die beiden Gläser vom Bord vor uns hin; mit einem Lächeln, das noch mehr ankündigte. Er hatte mit meiner Überraschung gerechnet, als er aus dem Schrank eine halbe Flasche Rotwein hervorholte und sie auf den Tisch setzte. Ehe ich noch eine Frage stellte, sagte er: »Der Maler, Clemens, er kann sich hier viel leisten, dies ist eine Gabe von ihm.« »Der Maler?« »Man erlaubt ihm einiges; mitunter, zu bestimmten Anlässen, läßt er sich sogar sein Lieblingsgericht bringen, zu seinen Geburtstagen zum Beispiel!« »Und der Direktor hat es erlaubt?« »Dieser Chef hat es; es wird erzählt, daß er viel von einem neuen Strafvollzug hält, und daß die Landesbühne nach Isenbüttel kommt, ist allein ihm zu verdanken.«

Hannes stand auf und schenkte uns ein, doch er trank mir nicht gleich zu, er zog unter seinem Kopfkissen ein Buch hervor, mein Buch, und legte es auf den Tisch. Er strich über das Buch und seufzte: »Dürfte dir bekannt sein, Clemens«, und vorwurfsvoll fügte er hinzu: »In der Gefängnisbücherei haben sie es nicht, diese Ahnungslosen, Kuglinski hat es mir beschafft.« Mein Erstaunen hielt an. Ich nahm mein Buch an mich, blätterte flüchtig darin, bemerkte manches Fragezeichen und manchen unterstrichenen Satz, wer da gelesen hatte, hatte mit dem Bleistift gelesen, sprechend. »Wie du siehst; ich bin tätig gewesen in deinem Buch, ich hab's zumindest versucht, manches ist offengeblieben.« »Ich freue mich, Hannes, ich glaube, nun weißt du mehr über mich, vielleicht sogar alles.« Während ich das sagte, dachte ich an meine oft gebrauchte Behauptung, daß man nicht über andere oder anderes schreiben kann, ohne etwas über sich selbst preiszugeben. Er nahm sein Glas, er sah mich lange an. »Früher«, sagte er, »war ich sehr ungeduldig, ich konnte nicht warten, ich litt unter meiner Ungeduld. Das hat aufgehört. Ich hab mir gewünscht, Clemens, daß wir zusammenbleiben. Wenn du willst, könntest du mir auf meine Fragen antworten, ich hab viele Fragen.« Jetzt lag der Ausdruck einer stillen Aufforderung auf seinem Gesicht, schließlich fragte er mit erhobenem Glas: »Worauf?«, und als gäbe es nur eine Antwort, sagte ich: »Auf unser Zusammensein, Hannes, nur darauf.«

Reinhard Jirgl im dtv

»Jirgl ist ein grandioser ästhetischer Artist, der immer über inhaltlichen Abgründen balanciert.«
Ulf Heise in der ›Märkischen Allgemeinen‹

Abschied von den Feinden
Roman

ISBN 978-3-423-**12584**-0

Ein Roman um Liebe und Verrat, eine deutsche Geschichte zwischen Nachkrieg und Anfang der 90er Jahre.

Hundsnächte
Roman

ISBN 978-3-423-**12931**-2

Deutschland in den 90er Jahren, ein für den Abriss freigegebenes Dorf im Niemandsland des ehemaligen Todesstreifens. Doch in den Ruinen haust noch ein letzter Mensch, der sich schreibend dem Vergessen und der Zeit widersetzt.

Die atlantische Mauer
Roman

ISBN 978-3-423-**12993**-0

Eine Frau aus Berlin fasst den Entschluss, jegliche Bindung ans Altvertraute zu kappen und ein neues Leben in New York zu beginnen.

Genealogie des Tötens
Trilogie

ISBN 978-3-423-**13070**-7

»Die radikalste Abrechnung mit der DDR, die es je gab.« (Die Zeit)

Die Unvollendeten
Roman

ISBN 978-3-423-**13531**-3

Die Geschichte von vier Frauen einer sudetendeutschen Familie, die von der Vertreibung aus der Heimat im Sommer 1945 bis in die Gegenwart des Jahres 2002 in Berlin reicht.

Abtrünnig
Roman aus der nervösen Zeit

ISBN 978-3-423-**13639**-6

Menschen im Räderwerk der ungeheuren Stadt: Jirgls grandioser Roman entwirft in dichten Bildern das heutige Berlin als Fluchtpunkt der Existenz zweier Männer. »Eine aufregende Heimkehr zu uns selbst.« (Die Zeit)

Die Stille
Roman

ISBN 978-3-423-**13997**-7

Am Anfang steht ein Fotoalbum: 100 Fotografien zweier Familien, die eine aus Ostpreußen, die andere aus der Niederlausitz. Den Fotografien folgend, erzählt Jirgl von Flucht und Vertreibung, von Liebe und Verrat.

Siegfried Lenz im dtv

»Siegfried Lenz gehört nicht nur zu den ohnehin raren großen Erzählern in deutscher Sprache, sondern darüber hinaus auch noch zu den ganz wenigen, die Humor haben.«
Rudolf Walter Leonhardt

Jäger des Spotts
Geschichten aus dieser Zeit
ISBN 978-3-423-00276-9

Das Feuerschiff
Erzählungen
ISBN 978-3-423-00336-0

Es waren Habichte in der Luft
Roman
ISBN 978-3-423-00542-5

Der Spielverderber
Erzählungen
ISBN 978-3-423-00600-2

Beziehungen
Ansichten und Bekenntnisse zur Literatur
ISBN 978-3-423-00800-6

Einstein überquert die Elbe bei Hamburg
Erzählungen
ISBN 978-3-423-01381-9

Der Geist der Mirabelle
Geschichten aus Bollerup
ISBN 978-3-423-01445-8

Der Verlust
Roman
ISBN 978-3-423-10364-0

Exerzierplatz
Roman
ISBN 978-3-423-10994-9

Ein Kriegsende
Erzählung
ISBN 978-3-423-11175-1

Leute von Hamburg
Meine Straße
ISBN 978-3-423-11538-4

Die Klangprobe
Roman
ISBN 978-3-423-11588-9

Über das Gedächtnis
Reden und Aufsätze
ISBN 978-3-423-12147-7

Ludmilla
Erzählungen
ISBN 978-3-423-12443-0

Duell mit dem Schatten
Roman
ISBN 978-3-423-12744-8

Über den Schmerz
ISBN 978-3-423-12768-4

Arnes Nachlaß
Roman
ISBN 978-3-423-12915-2

Wilhelm Genazino im dtv

»So entschlossen unentschlossen, so gezielt absichtslos, so dauerhaft dem Provisorischen zugeneigt, so hartnäckig dem Beiläufigen verbunden wie Wilhelm Genazino ist kein anderer deutscher Autor.«
Hubert Spiegel in der ›Frankfurter Allgemeinen Zeitung‹

Abschaffel
Roman-Trilogie
ISBN 978-3-423-**13028**-8
Abschaffel, Flaneur und »Workaholic des Nichtstuns«, streift durch eine Metropole der verwalteten Welt und kompensiert mit innerer Fantasietätigkeit die äußere Ereignisöde seines Angestelltendaseins.

Ein Regenschirm für diesen Tag
Roman
ISBN 978-3-423-**13072**-1
Geld verdienen kann man mit den unterschiedlichsten Tätigkeiten. Zum Beispiel, indem einer seinem Bedürfnis nach distanzierter Betrachtung der Welt folgt; als Probeläufer für Luxushalbschuhe.

Eine Frau, eine Wohnung, ein Roman
Roman
ISBN 978-3-423-**13311**-1
Weigand will endlich erwachsen werden und die drei Dinge haben, die es dazu braucht: eine Frau, eine Wohnung und einen selbst geschriebenen Roman.

Fremde Kämpfe
Roman
ISBN 978-3-423-**13314**-2
Da die Aufträge ausbleiben, versucht sich der Werbegrafiker Peschek auf fremdem Terrain: Er lässt sich auf kriminelle Geschäfte ein …

Die Ausschweifung
Roman
ISBN 978-3-423-**13313**-5
›Szenen einer Ehe‹ vom minutiösesten Beobachter deutscher Alltagswirklichkeit.

Die Obdachlosigkeit der Fische
ISBN 978-3-423-**13315**-9
»Auf der Berliner Straße kommt mir der einzige Mann entgegen, der mich je auf Händen getragen hat. Es war vor zwanzig oder einundzwanzig Jahren, und der Mann heißt entweder Arnulf, Arnold oder Albrecht.« Eine Lehrerin an der Schwelle des Alterns vergewissert sich einer fatal gescheiterten Jugendliebe inmitten einer brisanten Phase ihres Lebens.